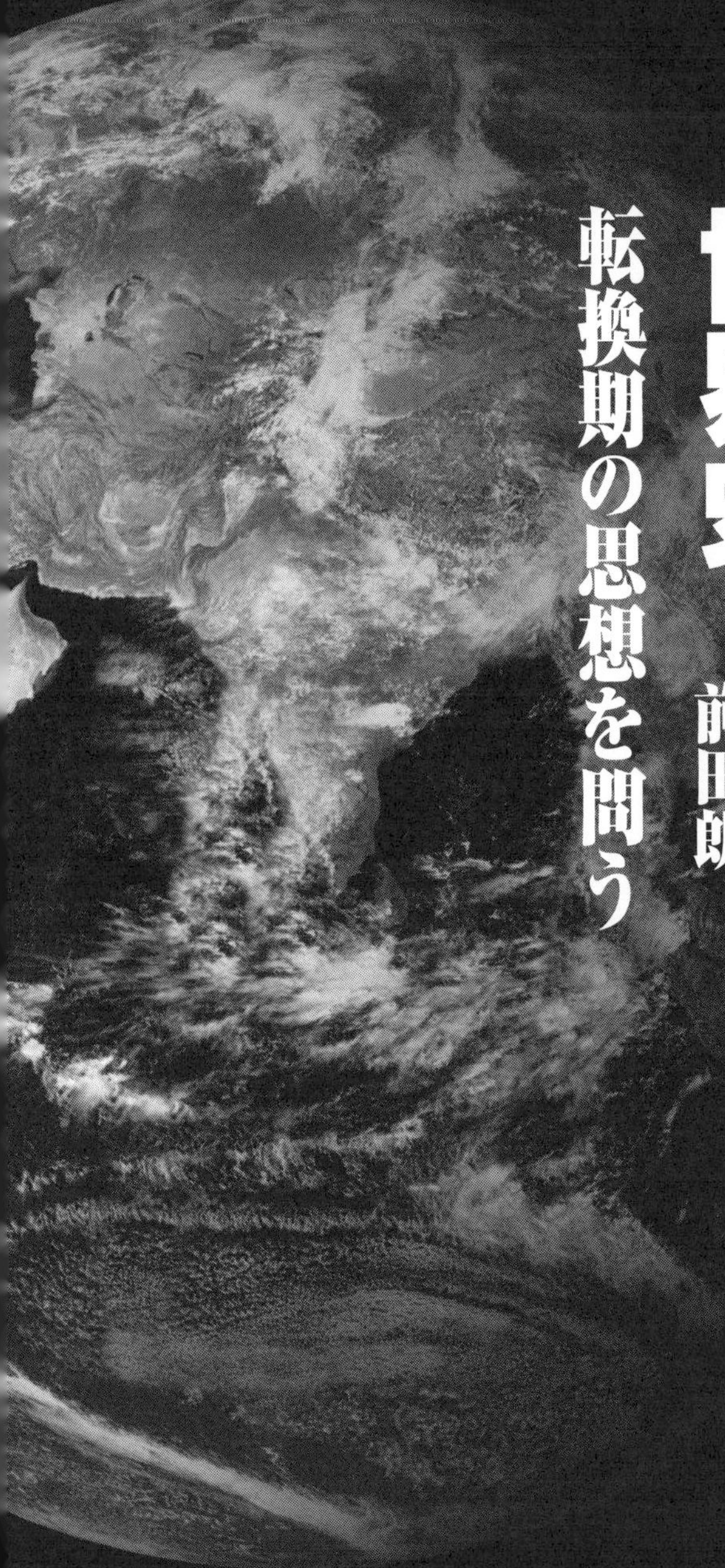

希望と絶望の世界史

転換期の思想を問う

的場昭弘
前田朗

三一書房

はじめに

21世紀もまもなく4分の1を経過しようとしている。

帝国主義の19世紀から、二つの世界大戦を経て20世紀後半は「冷戦」という名の対立と協調の時代を迎えた。１９８９年のソ連東欧圏崩壊によってグローバリゼーションが喧伝されたが、世界は激しい地域戦争・内戦の時代に突入したようにも見える。

私たちが生きる世界はどこへ向かっているのか。航海図も羅針盤もないまま漂流しているのではないか。

こうした問題意識から、２０２３年に「転換期の思想を問う――未来を拓くために（平和力フォーラム横浜）」と題して、的場昭弘さんへのインタヴューを行った。本書はその記録を中心に編集したものである。

新横浜のスペース・オルタを会場に3回の公開インタヴューを行った上で、本書のために4回目のインタヴューで補充した。

＊　　＊

第1回　帝国主義戦争の時代に／２０２３年4月22日

「ロシア・ウクライナ戦争を導入として、現代帝国主義の戦争を考える。市民社会の平和力が試されるいま、マルクスの視座の現代的展開を試みてきた的場昭弘氏（神奈川大学教授、経済学、マルクス学）を迎え、前田朗（戦争犯罪論、国際人権法）がインタビュアーを務める市民的対話の場を開きます。」

第2回　マルクスとともに考える／２０２３年5月13日

「戦争と差別と腐敗の資本主義を超えるための、『的場マルクス学』の形成と展開の『入門編』である。西欧における産業革命と資本主義の形成過程で噴出した矛盾を解決するために、社会主義・共産主義の思想と理論が形成される過程の一断面。」

第3回　待ち望む力――科学もユートピアも／２０２３年６月３日（以上、スペース・オルタにて）

「思想はいかにして現実に迫り、将来社会構想を描き出してきたか。近代世界におけるユートピア思想に始まり、科学的社会主義など、人間・社会・国家をトータルに把握し、その変革に挑んだ思想の現代的意義に焦点を当てる。」

第4回　希望と絶望の世界史／２０２３年11月９日（三一書房会議室にて）

＊　＊

時あたかもロシア・ウクライナ戦争やイスラエルによるガザ攻撃が強行され、国際平和と安全保障の枠組みそのものが大きく揺らいでいる。世界各地で異常気象が続き気候変動問題が深刻度を増している。資本主義のグローバル化は限界を迎え、他方でグローバルサウスの台頭が国際秩序に変更を迫っている。私たちの眼前で展開されている「世界史」の現在をどのように測量するのか。本書を通じて、読者のみなさんの思考スタイルの問い直しが始まることを期待したい。

なお公開インタヴューの開催及びインタヴューの記録化について、スペース・オルタの佐藤真起さんに全面協力していただいた。

２０２４年２月11日

前田　朗

目次

第一章　帝国主義戦争の時代に

――２０２２年に勃発したロシア・ウクライナ戦争が現在進行形です。この戦争の捉え方は多様でありうるはずですが、日本政府や日本のメディアからはこの間ずっと一つの視点だけで情報が流されています。

国際メディアを見ると、いろんな意見や視点があります。それぞれの立場からそれぞれの情報が流れ、論争も続いています。日本メディアはＮＡＴＯ視点から物事を見ています。視点が一方的で、視野がとても狭くなります。より大きく見ると現代資本主義の中での問題もあります。例えばクリミア併合一つをとっても、近代史の中で何度も焦点になってきた場所であり、利害が錯綜しています。どれか一つの視点だけで語ることの危険性は言うまでもありません。しかし私たちは一つの視点から見ることで、すっきりしたい欲望も持ち合わせています。

それが改めて今焦点になっていますので、２０１４年のクリミア併合から現在のウクライナ戦争へ至る道、これを近現代の出来事として見るのに、どんな視点で見たら良いのかを考えたいと思います。

的場――前田さんとは30年以上前、同じ東京造形大学の教員同志でした。そこで一般教養の経済学と社会学を担当していました。私が神奈川大学に移動した後、東京造形大学に赴任したのが越村勲（現・東京造形大学名誉教授）という研究者です。私は若い時にユーゴスラヴィアに留学していまして、その時、越村さんと一緒の下宿に住んでいたことがあります。ですから彼とは以前からの知り合いでした。

――越村教授とは28年間、同僚でした。越村教授は１９８０年にザグレブ大学大学院修士課程を修了して帰国し、千葉大学助手を経て１９９１年に東京造形大学助教授になりました。東欧史、特にクロアティアの社会史や表象文化を研究しました。著書に『東南欧農民運動史の研究』（多賀出版、1990年）、『クロアティアのアニメーション』（彩流社、2010年）、『アドリア海の海賊ウスコク——難民・略奪者・英雄』（彩流社、2020年）などがあります。

旧ユーゴスラヴィア紛争の教訓

的場——なぜ越村さんの名前を思い出したかと言うとユーゴスラヴィアというつながりからです。私は旧ユーゴスラヴィア、今はクロアティアという国の首都ザグレブに留学しました。

第二次大戦後、ヨシプ・チトー（1892〜1980年）という指導者の下、ユーゴスラヴィアは独自路線の社会主義建設をめざした国でした。チトーは、第二次大戦時に人民解放軍（パルチザン）の司令官として抵抗運動を展開し、戦後はユーゴスラヴィア社会主義連邦共和国の首相や大統領を歴任しました。ソ連邦の社会主義とは異なる自主管理社会主義を唱え、実践しました。国際的には非同盟運動を主導しました。

チトー亡き後、ユーゴスラヴィア連邦が解体していきます。1990年代にいわゆるユーゴスラヴィア紛争が起きます。この紛争は時間的にも長く、紛争地も変遷し、紛争当事者も交替していきますから、とても複雑な紛争でした。ところが当時の報道は西側の報道にだけ偏っていました。ユーゴスラヴィア紛争のことを正確に知っておられる方は当時もいませんでしたし、いまだにほとんどいないと言っても過言ではありません。

――「民族浄化」という言葉が象徴となって、他の重要な出来事がその陰に隠れてしまいました。「ユーゴの民族浄化」と言えば何かを理解したつもりになる。その記憶があらゆる認識や価値判断を制約しました。

的場――「民族浄化」という表現も一方的ですね。セルビア人がクロアティア人やムスリム住民を民族浄化したと括られる。

――内戦状態が続いて相互に殺し合い、相互に戦争犯罪を行った面もあるのに、セルビア側を悪者にしたストーリーだけが記憶に残された。「民族浄化」という言葉は、ボスニア・ヘルツェゴヴィナから依頼を受けたアメリカの広告代理店が宣伝して広めたこともわかっています。一方的なプロパガンダが見事に効果を発揮したケースです。

的場――最後に未解決で残ったのはコソヴォ問題なんですけども、実はそう単純な問題ではない訳です。今回のロシアの軍事作戦が、ウクライナ侵略なのか、侵攻なのか。戦争なのかどうかをめぐって議論があったように、こうした国境紛争の問題を見る基準が重要になります。「単純ではない」とだけ言って相対化する訳ではなく、現実が多面的なので、多面的に検証してみる必要があります。少なくともユーゴスラヴィアが１９９１年4月に大きな内紛に見舞われて、国内で戦争が起こり始めた時、最初にスロヴェニアが「独立」します。ここでいう独立とは、西側諸国に認められることにすぎません。

スロヴェニアは「独立」しましたが、ユーゴスラヴィアはその独立を簡単には認めませんでした。それは当然でした。ユーゴスラヴィアを構成する二つの主要な共和国の一つクロアティアの独立を認めませんでした。しかしドイツ、フランスがいち早くその独立を承認し、アメリカも続きました。こうしてユーゴスラヴィアは崩壊していきました。

　米英仏などの西欧諸国が独立を認めると、不思議なことにそれが国際世論で、私たちの世界では「独立」したことになるんです。日本政府もマスコミももはや「独立」が確定したかのようにふるまうからです。

――国家の独立には、国際法上の一定の要件があります。領土、国民、主権を備えて独立宣言をした場合に、国際社会において独立の承認が得られるか否かが問題となります。本来なら国際社会の動向で決まる。ところが「国際社会」なるものが、日本ではアメリカを指すと錯覚されています。アメリカの言いなりにならない国や民族は「ならず者」と指嗾《しそう》されることになります。

的場――国際社会が西側中心、アメリカ中心だと、アメリカが承認すると「独立」したことになります。これはおかしな話です。ユーゴスラヴィアもロシアも認めていません。ところが一部の国の承認によって、あたかも国際社会が承認したかのように語られます。何が言いたいのかというと、私たちの視点はほんのわずかな国々、だいたい30カ国、せいぜい40近くの国々、つまり欧米といわれる西欧の視点で決まっている。アメリカ、西欧、そして日本を入れて、これだけの国で世界を語ってしまう習性を私たちは持っている。世界の人口でいえば約10％にすぎません。少数の国々が作っている「国際基準」を当てはめて考えます。この「国際基準」は、わずか10％、国として40カ国。これが決めたことで全てが通るわけです。

――現実にはアメリカ1カ国、せいぜい主要国首脳会議（G7）などの数カ国です。おおむねアメリカとイギリスが揃うと日本では「国際承認があった」と大宣伝される。主要国首脳会議（G7）などと言いますが、自分たちで主要国と決めつけているだけです。

的場――ユーゴスラヴィア軍がクロアティアに入った場合に、これが侵入だったのか、侵略だったのか。これはまだ分解していない以上、内政問題です。ユーゴスラヴィアという国の問題ですから、内政問題です。しかし西側の理屈では「独立したのだから侵略であり、クロアティアを支援する」という形で軍事支援が入ります。そこで何が起きるかです。一つの国の分裂と軍事的衝突が、「民族対立」運動として起こります。

ボスニアの場合はもっと混乱して、紛争が7～8年続きます。この時にスレブレニツァ虐殺事件が起きました。一番有名な事件で、西側では虐殺事件とされています。

――スレブレニツァ虐殺は、1995年にボスニア・

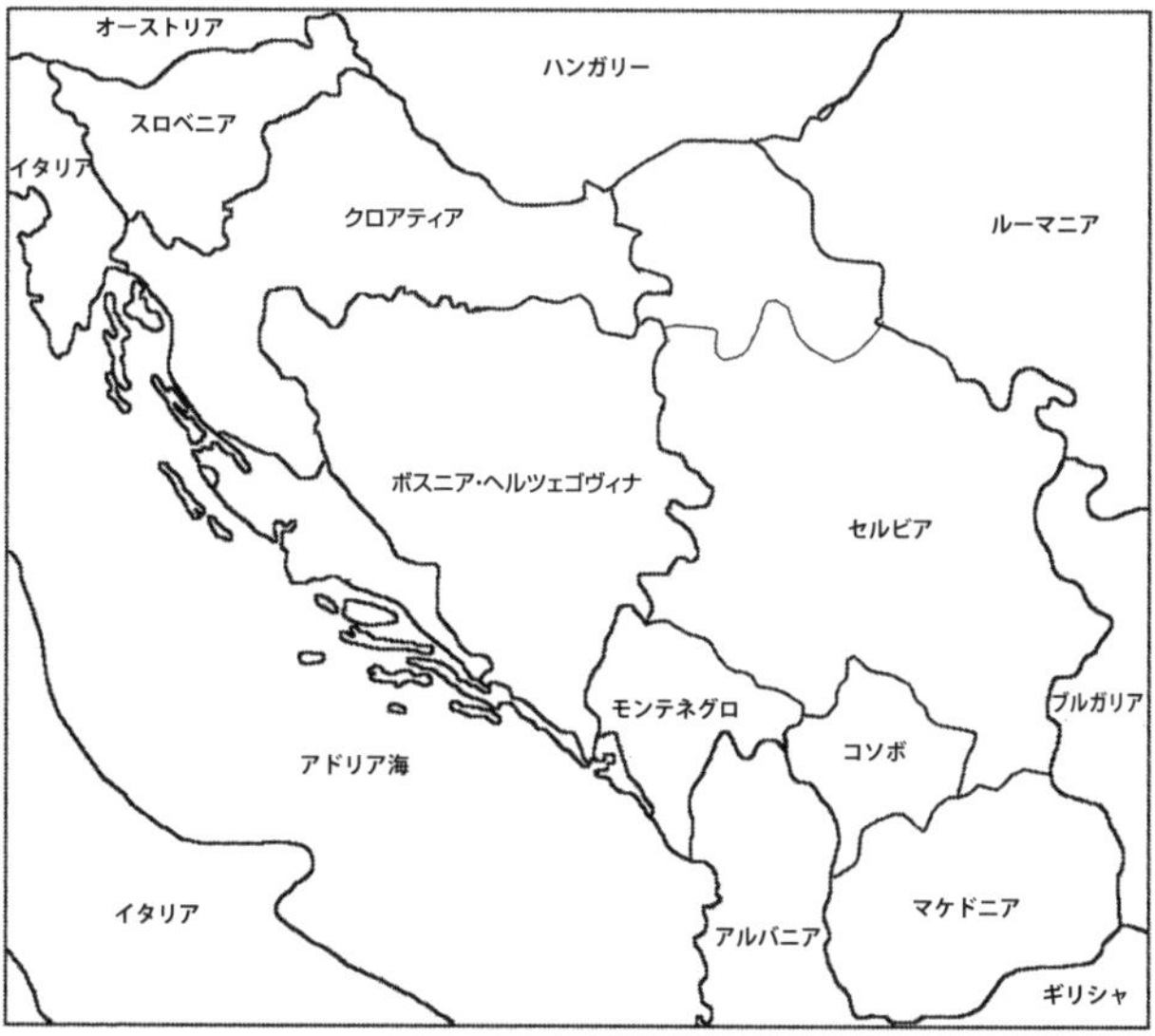

ユーゴスラヴィア領域

ヘルツェゴヴィナで起きた大量殺害事件です。セルビア側のスルプスカ共和国軍や準軍事組織が、非武装地帯とされていたスレブレニツァで虐殺したと言います。被害者数は約8000人とされています。旧ユーゴスラヴィア国際刑事法廷（ICTY）のクルスティチ事件判決（2004年）でジェノサイドと呼称されています。

最高責任者と言われたスロボダン・ミロシェヴィチ（1941〜2006年）は身柄拘束され、スレブレニツァ虐殺を含む事件について起訴されましたが、2006年3月、未決勾留中に亡くなったため、裁判は終了しました。ミロシェヴィチは裁判所の管轄権に疑問を付して、弁護人を付けずに自ら法廷闘争しましたが、獄中死を強制されました。ICTYは真相解明を行わず、被告人が死んでほっとした訳です。ミロシェヴィチを死なせて終わったのが正直なところです。

国際報道では、一方の側による虐殺だけが大々的に取り上げられます。なぜそれしか流れてこないのかです。スレブレニツァ虐殺だけが集中的に報道され、他の虐殺には焦点が当たらない。それによってセルビアだけが悪者にされる構図が決まってしまいます。

ユーゴスラヴィア連邦共和国が存在し、共和国大統領がいた訳ですから、独立が認められていなければ、まだ国内紛争だったのです。ところが外部から「独立したのだ」と決めつけて、外から支援が入る。普通なら国際法違反の内政干渉とみるべきですが、事態がどんどん進行します。NATOやアメリカの言う通りになっていく。

立場を変えて、セルビアから見たらこれはどういう事態だったのでしょうか。内政問題だと思っていたら、あっという間に国と国との戦争などと言われる。一方的にアメリカやヨーロッパが攻めてくる。おかしいじゃないかという問題になります。

——戦争犯罪や人道に対する罪の研究で言うと、旧ユーゴスラヴィアにおける戦争犯罪や人道に対する罪は、旧ユーゴスラヴィア国際刑事法廷（ＩＣＴＹ）で裁かれました。なるほど旧ユーゴ領域で戦争犯罪や人道に対する罪が起きた。それは否定できませんが、そうは言っても奇妙な事態だったことも記憶しておく必要があります。

第一に国連安保理事会の決議によってＩＣＴＹを設置しました。前例のない初めての出来事で、そもそも安保理事会にそんな権限があるのか疑問が残ります。

第二に補足性の原則が無視されました。後の国際刑事裁判所（ＩＣＣ）でも補足性の原則が採用されました。戦争犯罪はまずは当該国家の国内裁判で裁く。それができなかった場合に国際法廷の出番となります。補足性についての検討はまったく行われませんでした。あらかじめ準備していたかのように速やかにＩＣＴＹが設置され、動き始めました。

第三にＩＣＴＹの検察官、カルラ・デル・ポンテという著名なスイス人検察官です。とても優秀な法律家です。彼女は元スイス法務長官で、１９９９年にＩＣＴＹ検事に就任し２００７年まで活躍しました。彼女を主役とするドキュメンタリー映画『カルラのリスト』が日本でも公開されました。

実のところ一貫して片面的、一方的な捜査に熱を上げました。セルビア側の戦争犯罪だけを取り上げる。クロアティア側の戦争犯罪には目を塞ぐ。結局、ＩＣＴＹはこれに続くルワンダ国際刑事法廷（Ｉ

ＣＴＲ）とともに１９９０～２０００年代に重要な判例を積み上げていきます。ＩＣＴＹとＩＣＴＲは国際刑法の発展に大きな貢献をしたと評価されます。ＩＣＴＲがそれなりに地域の和解を実現し、平和の回復につながったのに対して、ＩＣＴＹは分断を深めるばかりで、和解の可能性を遠ざけた印象があります。

国際刑事裁判所（ＩＣＣ）が設立される前に、ＩＣＴＹやＩＣＴＲが人道に対する罪の判決を積み上げ、特に戦時性暴力を裁くという前例をつくった点で重要な刑事法廷でした。ただ一方的で強引だという記憶は消すことができません。当事者にとってはあまりにも偏頗な法廷だという記憶が残りました。

□ロシアとウクライナ

――ロシアとウクライナの問題は本当に難しいです。議論の土俵が定まっていないため、それぞれ勝手な話をしている印象があります。目の前の現象だけを見れば、ロシアがウクライナに侵略して攻撃しています。それは明らかですが、歴史的に見るとどうなるか。ＮＡＴＯ側からだけでなく、ロシア側から見るとどうか。あるいはユーラシアの視点ではどうか。時代によっても議論の内容が大きく変わります。それを許さず、一元的に考えるように誘導しているのが西側、ＮＡＴＯ側の政府やメディアです。

法廷	被告人	主な罪名
イスタンブール法廷	オスマン・トルコの軍人	人道と文明に対する罪
ライプチヒ法廷	ドイツ帝国の軍人	戦争犯罪
ニュルンベルク国際軍事法廷	ナチス・ドイツの幹部	平和に対する罪、戦争犯罪、人道に対する罪
極東国際軍事法廷	日本軍国主義の幹部	平和に対する罪、戦争犯罪、人道に対する罪
旧ユーゴスラヴィア国際刑事法廷	旧ユーゴの指導者	人道に対する罪、戦争犯罪
ルワンダ国際刑事法廷	ルワンダの指導者	ジェノサイド、人道に対する罪、戦争犯罪
国際刑事裁判所	世界中の国際重大犯罪実行者	侵略の罪、ジェノサイド、人道に対する罪、戦争犯罪

主な戦争犯罪法廷

的場――事実関係についても、どこまで遡るかによって大きな違いが出てきます。ウクライナ問題を2014年に遡るのか、それとも1991年に遡るのか。それともフルシチョフがウクライナ共産党の責任者だった1938年以後なのか。いろんな見方が可能です。クリミアは一体誰のものなのか。ウクライナは誰のものなのかということが、時代によって変わっていきます。

――ニキータ・フルシチョフ（1894～1971年）はロシア帝国のクルスク県出身ですが、家族がドンバス地方に移りました。1917年のロシア革命以前から労働運動に加わって、ロシア内戦中には赤軍政治委員でした。1931年に共産党モスクワ専従となり、1938年にウクライナ共産党第一書記になりました。第二次大戦時、ナチス・ドイツが攻めてきたときスターリングラード攻防戦で活躍しました。スターリン死後、権力を掌握し、1953年に共産党第一書記となり、1956年の「スターリン批判」で世界を驚かせました。ロシア・ウクライナ関係という点では、フルシチョフはウクライナ共産党第一書記であると同時にソ連共産党政治局員となっています。1938～39年のウクライナ大粛清の際の権力者でした。

的場――あの地域がどんな地域かという歴史認識の問題になるわけですけれども、少なくとも今のドンバス地域などはロシア語が公用語であるし、キエフあるいはキーウとはずいぶん違った地域です。言葉だけではなくて、経済的にもかなり異なります。ドンバス・コンビナートについてはかつて日本の学校教育でも習ったはずです。

　あの地域が経済的に一体として結びついているのは、一つは原子力です。原子力という電気事業によって結びつき、工業によって結びついています。生産と消費市場です。もう一つは宗教です。それは一つの共同体として見ることが出来ます。

ところがウクライナの領土はそこを二つに切ってしまった。モスクワとドンバスは距離的にはたいしたことないけれども、国境線が引かれた。これをフルシチョフの時代にウクライナに編入した訳です。それで良かったのかどうか、この問題はずっと残ります。ウクライナの政治指導者たちが、どうやってここにウクライナという民族国家、国民国家を創出するか、悩んだわけです。ウクライナはそれ自体として独立したことはない。だからウクライナ国家は創出されねばなりません。ソ連のウクライナ共和国の方は存在していました。そこには多様な人々が住んできた。ユダヤ人もいるしセルビア人もいるし、多数の諸民族がいる。それを一つの国民国家に統合しようとした不幸を見ておく必要があります。

――ロシアの侵攻を受けたことによって、猛烈な防衛意識から、ウクライナ民族主義が確立します。これほど強いウクライナ意識ができたのは歴史的にも初めてのことではないでしょうか。逆説的に言えば、「プーチンがウクライナ国民を創出した」と言えるかもしれません。

的場――開戦に至る経過も不透明です。２０２１年から「ロシア・ウクライナ危機」が語られ、２０２２年2月24日にロシアがウクライナに侵攻したとされています。軍事作戦は2月24日と言いますが、それ以前に各地で軍事衝突が起きていました。これがほとんど報道されませんでした。ドンバスがロシアに救援を求めたのか、ドンバスは自治共和国として独立していたのかどうか（ミンスク合意）。そこもあいまいなまま議論が進みました。

――2月24日以前に戦闘が起きていたのに、西側メディアは2月24日に突如としてロシア軍の侵略が始まったと大宣伝しました。現地の実態ではなく、NATO側の政治判断でニュースがつくられます。

的場――先ほどのユーゴスラヴィア問題と同じです。ユーゴスラヴィアの場合は、スロヴェニアやクロアティアなどが独立を宣言し、それをヨーロッパが認めたんです。スロヴェニアやクロアティアの独立が認められれば、アメリカとヨーロッパが救援することになりますが、一方的に独立が承認されたことが問題です。事実関係があいまいなまま事態がどんどん進行し、既成事実を基に議論するしかなくなっていきます。

スロヴェニアやボスニアで起きたことと、ドンバスで起きたことは、どこがどう違うのか。ドンバスはロシアに支援を求めたのか。この8年にわたって、ウクライナ軍はミサイル攻撃を行い、ときに侵入したりしてきたことをどう見るのか。8000人近い市民が亡くなっています。ミンスク合意は存在せず、ドンバスの自治共和国としては承認されてないと主張することができれば、これは内政問題にすぎません。

フランスの放送局がドンバスに入って、こうした日常的攻撃の問題をドキュメンタリーとして放送したことはありますが、それ以外で西側はこの情況に沈黙しました。ミンスク合意が守られていないことを黙殺する議論が横行しています。

――プーチンが「ウクライナのネオナチ」批判をした時に、これをフェイクであるとか、単なる口実であるとして切り捨てるメディアが多かったのですが、「ウクライナのネオナチ」現象は２０１４年から知られていました。オリバー・ストーンが指揮をとった映画『ウクライナ・オン・ファイアー』（イゴール・ロパトノク監督、２０１６年）は、２０２２年よりも６年前に制作されています。２０１４年の出来事をどう見るか。「ウクライナのネオナチ」に確かに根拠があったのではないか。西側の多くのメディアは、この映画を「プーチンのプロパガンダだ」と切り捨てます。Youtube から削除されるなど、妨害によって観ることが出来ない時期もありました。映画全体をプロパガンダと切り捨てるのではなく、個々の事実について判断する必要があります。だからと言って、ロシアのウクライナ侵攻が正当化されるわけではありませんが、プーチンが本当のことを言った時にも、すべて嘘だと決めつけるのは疑問です。

的場――ドンバス地域ではロシア語を話す人が多いのに、学校教育でウクライナ語を強制しました。ロシア語教育が禁止されました。こうして追い詰められていったのがその経過ですね。だからこそドンバスの人々がロシア語を取り戻そうとした。ロシアに救援を求めるのは自然なことかもしれません。ロシア語が学校教育で禁止されたということです。それはウクライナに住む他の民族の言語にも適用されました。

――ＮＡＴＯ問題をどう考えるかは、日米安保条約、「日米同盟」なるものをどう考えるかに直結します。

軍事同盟を結んで、隣国を敵視し、排除する戦争政策を続けるとどうなるか。

的場――ウクライナ戦争でロシア人を含めてたくさんの人が死んでいます。平和を回復するために、日本の役割はこのことをしっかり自覚した上で、停戦合意に持っていく努力をすることです。ところが、そうした議論が全否定されています。昨日まで「平和主義だ。憲法9条だ」と言っていた人々が、いまやウクライナへの軍事支援を叫んでいます。日本政府もメディアも戦争歓迎気分で興奮しています。インターネット上でも戦争支援が当たり前とされている。

――ウクライナの人々が難民又は避難民となって大変な苦労をしているため、心を震わせて、ロシアを非難するのはよくわかります。これまでウクライナについて一言も発言したことのないような人たちが、あたかも昔からウクライナの友人であったかの如く、ウクライナの保護者を買って出ています。

この会場（新横浜のスペースオルタ）では、ウクライナ出身のカテリーナさんのコンサートを何度も開催してきました。カテリーナさんはチェルノブイリ原発事故から逃れてキーウに移った後、来日してウクライナの伝統楽器バンドゥーラを演奏し、歌ってきました。私も平和運動や脱原発の運動の場でカテリーナさんに演奏をお願いしてきました。東京造形大学の授業にも何度かお招きして、学生たちにバンドゥーラ演奏を披露してもらいました。ロシアによる侵攻後、カテリーナさんは懸命の努力でウクライナから母親を日本に呼びました。母親は避難民として来日しました。その時もこの会場（スペースオルタ）にカテリーナさんの母親をお迎えしました。

ですからロシアの軍事作戦なるものを強く批判せざるをえません。とはいえウクライナへの軍事支援を叫ぶのは間違いです。軍事支援を主張するのであれば、憲法9条擁護や反戦平和の看板を下ろす必要があります。武器輸出反対運動をしてきた人がウクライナ武器支援を呼びかけています。矛盾に気づこうとしないのは奇怪と言うしかありません。

的場――ロシア・ウクライナ戦争の歴史的原因を明らかにすること、停戦を妨げる条件を除去し、速やかに停戦を実現することが求められます。一面的で偏頗《へんぱ》な議論は避けるべきです。

琉球独立論の射程

――話が飛びますけれども、松島泰勝さん（龍谷大学教授）はこの20年間ずっと琉球独立論を唱えて何冊も本を出しています。学問的にも琉球独立学会という学会を作って、独立論を普及しています。その実践の一つとして、京都大学が研究と称して持ち去った琉球民族遺骨問題に取り組んでいます。日本は琉球王国を解体し、日本に併合しました。京都大学の研究者は琉球のお墓から遺骨を盗んで研究をしてきました。北海道でアイヌ民族遺骨を盗んだのと同じです。北海道ではアイヌ遺骨返還訴訟が続いています。松島教授たちも琉球遺骨返還訴訟を闘っています。

松島教授が描いてる琉球共和国独立の戦略はこうです。まず沖縄県議会で独立宣言を決議する。宣言を日本政府に送ると同時に、各国にも送る。国連に要請団を派遣し、主要国家に「国家承認」をしてもらう。そのうえで国連加盟を申請する。国際承認が得られれば、国際法的には日本から独立した琉球国であると言えます。日本国憲法には何の関係もありません。日本国憲法には領土がどこであるか何も書いてません。なにしろ日本がどこであるか憲法には書いていないので、憲法改正手続きが不要です。琉球人民の主権が明確になれば、国家を作るとすれば、その手続きでできるはずだということになります。

しかしそれをやった瞬間、松島教授は逮捕されるのではないか、と私は危惧しています。日本国家が琉球の独立を認めない。米軍基地を押し付けるのに、これほど便利な場所はないので、琉球を手放すことはありません。本当に深刻な話で、クリミア半島の住民投票を思い起こします。

スコットランドがイギリスから独立するか否かで、２０１４年に住民投票がなされました。反対が55%、賛成が45%で、結果は独立しないことになりました。スコットランドの人々はその後も独立を求めて闘っています。住民投票をもう一度実施するよう要求していますが、イギリス政府は認めません。

スペインでは、２０００年代からカタロニア独立運動が盛んになりました。２００６年の住民投票で独立派が勝利しましたが、スペイン側は認めません。２０１４年にも２０１７年にも住民投票はイエスでした。しかし独立は認められず、実力で押しつぶされました。指導者のプッチダモンは政治迫害を受けて国外逃亡せざるを得ませんでした。

国境線が安定している西欧諸国においてさえ国民国家の中に民族的な亀裂があり、時に分離独立論が噴出します。恣意的に国境線を引かれた地域では、もっと強い動機になります。

西欧デモクラシーの二面性

——そうは言っても西欧的なデモクラシーという統治形態の一定の普遍性は認めざるを得ない。とりわけ人々の意識に働きかけて一定の合理的な行動様式を規制するのには役に立つという主張もあります。

的場——この問題を議論するためには少し長いスパンで歴史を考える必要があります。あまり遡るのも大変ですから、フランス革命から始めるとして、フランスが憲法を作る前に、人権宣言を発表します。

この時に自由、平等、博愛――これが今残っていますが、さらに所有、安全という言葉を定義した訳です。

ところが途中から所有と安全が背後に退いていきます。スローガンは自由、平等、博愛になる。所有と安全を表に出さなくなります。なぜかというと、そこにフランス革命が求めたものの根底にあった資本主義精神の本質的問題が隠されていたからです。所有と安全です。二つのうち所有こそ、資本主義精神と、近代市民社会の本質的問題を表していました。フランス革命が求めた社会は、所有する者が所有することができる自由を求めることであり、所有する機会の平等であり、所有する市民同士の友愛であり、所有する者を守るための安全であったということです。

フランス革命後に、フランスでも徐々に産業革命が進んでいきます。そうすると持てない者が多く出てきます。彼らは国政に参加できないだけでなく、様々な意味において政治に参加できなくなる。要するに政治には、所有する者以外の参加は排除されていたことに気づくのです。

――政治参加の権利は少しずつ変容し、拡大しました。最初は所得（納税額）による制限がもうけられていました。やがて高所得者に限られていた制限選挙から、低所得の民衆への普通選挙へと変わっていきます。19世紀後半までにはヨーロッパの国々では男性の普通選挙はかなり進みます。ただし女性はそれでも入っていなかった。20世紀になって女性も入ってくる。やがて市民が所有とは関係なく、政治に参加できる権利を得るのですが、それにはとても長い時間が必要だったのです。はじめは近代市民とは財産を持っている人を意味していたのです。

的場――ところが一方、西欧世界の外、アジア・アフリカの地域でどうなっていくかというと、西欧の植民地とされてきた地域では、政治への参加は認められていませんでした。彼らが財産を持っていない人々であり、市民でなかったからです。そして独立後も政治への参加には、この所得制限が大きな壁となっていました。ここでいう政治への参加は被選挙権も含んでいます。なぜフランス革命の人権宣言が、民主主義を実現できなかったのかというと、一方で資本主義イコール民主主義と言う認識があり、それが人権をもつ市民を制限していたからです。やがて西欧社会で市民は財産を持つ者ではなく、人間一般になっていきます。しかし西欧の外、旧植民地では、彼らは市民でも人間一般でもなく、彼らを人間一般として認める状態は、なかなか実現しなかったのです。これが西欧の民主主義の本質です。

結局、市民社会という美名の言葉は、裏に財産という問題を持っていて、それが市民社会から民衆を排除していたのです。日本の場合も西欧的近代化を始めたのですが、財産という問題が立ち塞がったし、それは植民地であったアジアの国々を差別する原因にもなっていたのです。皮肉ですが、民主主義には財産を持つ、すなわち中産階級として豊かになることが前提条件で、そのために実は植民地を持つか、搾取すべき地域を持つことが必然的な条件だったのです。だから西欧はアジア・アフリカを民主化しなかった。できなかったのです。日本国民も中産階級化し、豊かになった時に、民主主義が実現したかに見えたのですが、その実現のためには、アジアやアフリカという、よその国の国民や労働者たちに市民としての権利を与えず、搾取したわけです。

――民族問題ですが、ユーラシアの中心部を支配したオスマン・トルコの支配形態と、オスマン・トルコが解体した時の再編成のあり様がその後の民族問題を規定した面があります。

19世紀に国民国家を作るのに、民族というものを作り出した。日本列島でも、アイヌが民族である、アイヌという民族であるかどうかを、どういうふうに決めるか。その言語とか、いろんな言い方がありますけれども、アイヌ語が消失の危機にあるとなると、それでもアイヌ民族だと立ってる人たちいます。そうすると、民族とは何なのかをもう一度洗い直す必要がある。

的場――立ち上がっているアイヌの人々に対して「あなたたちは民族じゃないよ」と言えるのでしょうか。確かに民族がどういうふうに考えられているのか、難しいことです。民族（Nation）というのは、国民または民族と訳されていますし、ナショナリズムは民族主義と訳されています。こう考えること自体、それは19世紀の産物です。

それまでは、どちらかと言うとネーションではなく、フォークに近い。人間だよねという話が出発点です。フォークソングなんていうフォークですが、要するに地域にいる集まりみたいなものです。ヨーロッパ地域においてもたくさんのフォークがあったんです。

例えばフランスはパリだけではなくて、ブルターニュとかノルマンジーとか、いろいろなフォークがあったんです。このフォークを扱うのはフォルクローレ（民俗）です。ところがそれがフランスの外部に当てはめられれば、フォークじゃなくて、いわゆるネーション（民族）という形で認識し始めた。

オスマン・トルコ帝国では小さな共同体がたくさんあり、言語も多様でした。自分たちが何人であるかという認識はなかった。そうした意識が生まれるのが19世紀なんですね。

その典型がウクライナです。ずっと昔からウクライナ民族があったのではなく、ウクライナが作り出されたのは、１８５３年のクリミア戦争でロシアが負けたためであり、ウクライナ人は19世紀に起こったナショナリズム運動に目覚めた。ウクライナ文法というのを作って言語的にもウクライナ語を確立し、それを民族としていった。

それ以前にウクライナがあったのかどうかを巡って議論があるのですけど、これは水掛け論とも言えます。ともあれウクライナ人と自覚したところから始まる。19世紀に自分たちの中に新しい民族を認めざるを得なくなったところからこの問題が生まれてきます。

――自覚という言葉、それから自ら立っているという言葉、それは民族の主体性の問題ですね。違う言い方をすると、民族という概念規定をするのに、客観的な指標でするのか、そうではなくて主体性によって規定されるのか。

言語や文化もみなそうなので、主体に関わってるわけですよね。それは先住民族の定義がそうなっている。一般の民族の定義については学説上いろんな争いがあるけれども、先住民族についての今日の国際法の定義ではそこに主体性を認めている。「我々が先住民族である」「我々が民族である」と称するエスニック集団を先住民族として認める。そういう形になってますよね。主体性をアイヌの人々がどれだけ持っていて、どういうふうに主張できるか。

的場――ウクライナ人はどこから来たかというと、多くの場合は18世紀のエカテリーナ時代の移民政策に求めることができます。セルビア、プロイセン、そしてポーランドからこの地区に移住したともいわれます。

ところが１９２０年代になると、スターリンがそこに移住した人々をシベリア送りにして、北方からロシア人を送り込むんですね。さらに今度は第二次世界大戦が始まって、ナチスがウクライナ人とロシア人を一掃するのです。

第二次大戦後、ロシア人がまたそこに入ってくる。ですから非常に複雑なんです。多民族国家状態になる。これをひとまとまりに括って、アイデンティティを作ってまとめるわけです。１９９１年、ウクライナを独立させたので、ウクライナという国が生まれ、それが単一民族というものとなっていった。このあたりでもう少し、緩やかに多民族国家を形成すれば、今のような形にならなかったかもしれません。

――ロシア・ウクライナ戦争について、ロシアによる一方的な侵略と見るのか。ＮＡＴＯの欺瞞と挑発に原因を見るのか。立場はいろいろありますが、今はともかく休戦が必要です。となると国際紛争に関して国連が介入しなければ、あるいはそこで何らかの動きがなければ、他にどういう道筋があるのか。

それはないと言うしかありません。

的場――国連の介入となると、その力がアメリカにある以上、とても難しいですね。国連とならぶ国際制度にＩＭＦ体制というものがありますが、これはアメリカのドルを基軸通貨として西側世界の勢力を代表しているので、これも難しい。それから世界銀行、国連含めてこうした国際機関というものは、実は18世紀から西欧世界が作り上げた機関であり、その利害が関係する以上、こうした機関は西欧の利益を追求する機関になってしまいます。いままさに世界が分裂してしまって、その分裂の原因はまさに18世紀以来続いてきた、人権と民主主義という西欧世界の考えていたイデアが根本的な問題にさらされているということです。

要するに18世紀以来始まる西欧の人権や民主主義と、その背景としての植民地支配の関係をしっかりと整理しなければならない。だからこそ植民地だったアジア・アフリカの多くが、国連の、それも西欧中心の決議に対して反対します。

そういう意味では今世界は非常に難しい状態になってしまったと思います。

――安保理事会はもう機能不全状態でどうにもならなくて、国連総会しか残らない。けれども国連総会決議を見れば明らかなように、メディアは多数決とったと言っていますが、相対多数です。ロシア軍のウクライナ侵攻直後の2022年3月3日の国連総会では、アメリカ等が提出したロシア非難決議が193カ国の加盟国中、141カ国が賛成、5カ国が反対、35カ国が棄権でした。棄権した国には、中国とインドをはじめアジア、アフリカ、ラテンアメリカの国が目立ちます。NATO側の宣伝工作が一番影響力を持った時期でも主要国家が抜けてしまう。やはりアメリカ、イギリス、フランスの影響力はそれだけ落ちている。しかも、国連の動向に関する政府やメディアの姿勢も非常に歪んでいます。

的場――西欧諸国が、植民地支配への不満というアジア・アフリカ社会の訴えに真摯に向き合おうとしないから、こうした現状を招いているというのが私の見立てです。

人権、民主主義、自由という理念は普遍的な概念であるより、多くは先に述べたように、植民地支配と暴力としっかりと結びついた概念であったことに対する反省がないのが現状の問題です。

実はウクライナの和平に関しても、チャンスがあったんです。いわゆる復活祭なんです。復活祭というのは、カトリックだけでなく、東方正教会にも復活祭がある。復活祭の時は、お互いに話ができる可能性があった。問題は正教会といってもウクライナでは四つに分離しているんです。東方正教会が動いて仲良くしようと話があったんですね。結局それも潰れちゃいましたけども、そういう意味で正教会が出てくるとかこういう形で政治以外に解決の方法もあった。もっと言えば、スラブ人としての共通性の問題ですね、ただ停戦合意ができませんでした。

ロシア・ウクライナ戦争の起源

ロシア・ウクライナ戦争の歴史的起源を確認する必要があります。これは後からお話ししますけれども、18世紀にこの地域に西欧が入ってきたことが起源にあります。本当に長い歴史があるので、とてもそんなに古い時代に遡ることはできませんが、少なくともオスマン・トルコの時代から続く様々な問題がここに凝縮されている。その凝縮されている問題が、西欧がこのバルカンや東欧地域を取るという問題と結びついています。

西欧から見ると、西欧こそこの地域を取るべきだということになるのですが、ロシアからすると正教会の中心であるロシアがこの地域を統治すべきだという問題になるのです。クリミア戦争までは、オスマン・トルコもこの地域を支配する権利を持っていました。まさにこの三つ巴の問題があります。ところが私たちが歴史の教科書で学ぶのは西欧側からであり、かなり一方的なのです。西欧の視点だけが前面に出てきます。

ロシアやオスマン・トルコは侵略国であり、それらの侵略者から西欧は自分たちを守らねばならないという構図が最初からできている。まさに普遍的正義というイデアを抱え、そのために戦うという図式になっている。これが私たちの西欧直輸入の教科書の弊害です。なぜこれが日本でも教科書に込められているかは、後でクリミア戦争の話をする時に話をしますけれども、そういう形で、一方的に歴史認識が固定され、報道がなされてしまいます。西欧化すなわち近代化というのは、こうした西欧的認識の絵をなぞるようなものになっていったのです。こうした認識は世界の10%の僅かな人々の歴史認識、利害関心にすぎません。圧倒的経済力で世界を支配し、正当化したのです。

　１９９０年代においては経済力を見ると、Ｇ７と言われてる国の経済が圧倒的に強かったし、軍事力も強かった。ただ今は少し事情が違う。今でもＧ７と言って、世界の物事を勝手に決めようとしていますが、欧米だけですべてを決めることは無理があります。これらの地域以外、つまり非西欧の諸国の経済力が伸びてきました。

——２０２３年にヒロシマでＧ７が開かれました。Ｇ７というのは主要国首脳会議（サミット）のことです。アメリカ、カナダ、イギリス、フランス、ドイツ、イタリア、ＥＵ、及び日本が「自分たちが主要国である」と決めて会議を開き、ルールを決めています。２０１８年時点で、Ｇ７は世界の純資産の60%、世界のＧＤＰの30%以上を占めるという試算があります。人口では世界の10%ほどです。ちなみに、１９９８年から２０１４年まではロシアもメンバーで、当時はＧ８と呼んでいました。今はロシアを敵視しています。

Ｇ7をどう見るかは日本では混乱しています。「自由と民主主義という共通価値を有する主要国の協議体」などというとんでもない報道がなされています。Ｇ7は、主に現在の経済秩序を維持するための政治的協議の場ですが、アメリカは朝鮮戦争、ヴェトナム戦争、カンボジア空爆、アフガニスタン戦争、イラク戦争等々と、数百万人のアジア人を殺戮してきた国です。アメリカの民主主義は「アメリカ人の自由と繁栄のためにアジア人を殺すこと」と言って過言ではない。Ｇ7の事実上の軍事版がＮＡＴＯと言えます。それに全面協力して、おこぼれを頂戴してきたのが日本です。日本はＮＡＴＯに入りたいとまで言い出しましたが、さすがにマクロン・フランス大統領が「東アジアは北大西洋ではない」と苦言を呈しました。

Ｇ7のとりまとめである「広島ビジョン」（２０２３年）は、広島を「核廃絶の町」から「核抑止の町」に変えてしまいました。岸田首相の先導でバイデン大統領が核のボタンを原爆資料館に持ち込み、核廃絶を笑い者にしてしまった。そこにゼレンスキー大統領がやってきて、停戦を否定し、何が何でも戦争を継続すると意欲を表明しました。それを前提としてウクライナへの戦争支援が語られました。広島は反戦平和に背を向ける「戦争支援の町」になりました。さらにインドとブラジルを抱き込もうとしましたが、ブラジルは拒絶して「アメリカがウクライナに戦争をけしかけている」と批判しました。

23年8月6日の原爆投下記念日に、松井一実広島市長は核抑止批判を打ち出しました。松井市長は次のように述べています。

「核による威嚇を行う為政者がいるという現実を踏まえるならば、世界中の指導者は、核抑止論は破綻しているということを直視し、私たちを厳しい現実から理想へと導くための具体的な取組を早急に始める必要があるのではないでしょうか」

23年8月9日、鈴木史朗長崎市長も同じ英断をしました。

「広島ビジョンは、核兵器を持つことで自国の安全を守るという『核抑止』を前提としています。核抑止の危うさはロシアだけではありません。核抑止に依存していては、核兵器のない世界を実現することはできません。私たちの安全を本当に守るためには、地球上から核兵器をなくすしかないのです。核保有国と核の傘の下にいる国のリーダーに訴えます。今こそ、核抑止への依存からの脱却を勇気を持って決断すべきです。人間を中心に据えた安全保障の考えのもと、対決ではなく対話によって核兵器廃絶への道を着実に歩むよう求めます」

両市長が核抑止批判を明言したことは、日本の核兵器廃絶運動の証と言えます。

的場——松井市長は広島の牛田中学の同級生です。彼には頑張って欲しい。今起こりつつあるレジームチェンジの大きな問題が見えてきます。東と西の力関係が逆転しつつある。さらに別の機会に述べますが、北と南の関係も複雑です。その中で今回のウクライナ戦争も起きています。昔だったら、ウクライナ戦争もNATOが軍事介入して、どんどんその力を誇示します。大手メディアもその線でそろい踏みになります。他の国連加盟諸国もロシア批判に回ります。ところが今回は、多くの国々が「ロシアだけが悪いとも言えない」という風に傾いています。だんだん国際世論というものが変わってきたのは、東西の経済的な力の変化にも一因があります。

——「即時停戦せよ」と言うだけで、日本では「ロシアの味方」と決めつけられます。「NATOが絶対善、ロシアが絶対悪」という構図が固まっているからです。ロシアだけが悪い訳ではないという見解は、「ロシアの肩を持っている」とみなされます。

日本政府やメディアの主張は歴史の事実を無視してばかりです。例えば安保理事会常任理事国ロシアが国際ルールを無視して戦争を始めたことを初めてのことであるかのように騒ぎ立てます。しかしヴェトナム戦争、アフガニスタン戦争、イラク戦争のように、安保理事会常任理事国であるアメリカが戦争を始めた時、日本政府やメディアは批判したでしょうか。

平和運動も二枚舌です。「ロシアを非難し、ウクライナを支援するべきだ」と言うのですが、ヴェトナム反戦運動でさえ「アメリカを非難しないのは敵だ」などと言いませんでした。アフガニスタン戦争やイラク戦争もそうです。私たちはアメリカの一方的な戦争を非難しました。しかしアフガニスタンやイラクへの軍事支援を呼びかけたりしませんでした。「9条擁護、反戦平和」と言いながら「ウクライナ軍事支援」を唱えるのは正気を失っているとしか言いようがありません。

的場――最初に確認しておきます。冷戦期の東西対立の「東と西」という枠組みと、今起きている「NATO対ロシア」――地理的にロシアが東側にありますので、東と西という地理的位置としては同じ場所にあって、同じように対立していますが、本質的には違うところがあります。かつての東はソ連東欧社会主義ですから、政治経済的な意味合いとしては変わってきてる部分もあります。それがどう変わって、どう同じなのか、案外わかりにくいんです。

――21世紀は「NATO対ロシア」、20世紀は「東と西」ですが、19世紀にすでにロシアをどう見るかは西側にとって関心事項になっていました。

的場──マルクスはこの辺りの歴史事情にすごく関心を持っていて、「オリエント問題」について当時の新聞記事（『ニューヨーク・デイリー・トリビューン』）に書いています。その元になった情報──マルクスが当時読んだ記事とか、マルクスに情報を与えたのはイギリス側の情報です。とりわけアッカートというアンチ・ロシアの論陣をはっていた人物からマルクスは大きな情報を得ました。マルクスは、イギリスのパーマストン首相と、その政策に反対していましたが、それはある流れに影響されていて、その流れは絶対ロシアが悪く、「ロシアはどうしようもないんだ」というものでした。マルクスも当初はその影響を強く受けていました。しかし後に変化が起きます。

1868年、ちょうど『資本論』を書き上げた後、ロシア人の知人が来て、『資本論』のロシア語訳を行いたいという申し出を受けます。そこでロシアのいわゆるロシア人的思想を展開していたナロードニキの人物を通して、ロシアは全く西欧と違って資本主義が発展してない国であるが、その発展の仕方が西欧とかなり違うのだということを知ります。そのためにロシアに関心をもち、ロシア語を勉強して、ロシア人の書物を読み始めました。特にフレロフスキーの書物を読み始めました。その頃からマルクスは少しずつ、反ロシア、狂信的な反ロシアから脱却し、ロシアを理解し始めます（第二章で詳しく話します）。

ただ「親ロシア」になったとは言い切れません。しかしこれまでと違って理解するようになった。理解した上で、ロシアを見るようになったわけです。ですから1850年代のロシア論の持つ反ロシア的発想は、マルクス自身にあるというよりも、マルクスも含めた、当時のイギリス人の論調にあったというべきでしょう。当時のイギリスが反ロシア的になり、クリミア戦争を煽っていたこととマルクスの論調は深く関係しています。当時のメディアのあり方と現在のメディアのあり方も似ているところがあって、多くの人々はロシアを知らないで、反ロシアで批判している。

残念ながら150年以上時が経ても、人は同じような偏見にはまっていると言えます。今回のウクライナ戦争に関する西側の報道も、クリミア戦争時代の報道の焼き直しというぐらいによく似ている。なぜかというと、西側の人々は心の中に、ちょうど私たちが朝鮮半島や中国に対して持っている偏見と同じようなものを、見事に植え付けられている。そうした偏見と報道がどこかで合流し、パブロフの犬の条件反射のように、それに反応してしまうわけです。

——近代の西欧中心主義は、大航海時代の世界の拡大、植民地支配、奴隷制といった歴史に由来する面が強いです。その上に経済的には資本主義の発展があります。文化や意識の面ではキリスト教が支配しています。それらが全体として絡まり合う形で西欧中心主義、白人優越主義が形成されます。その枠組みはいまだに変わっていません。しかも白人ではない日本人が見事にこの世界観を受容している。脱亜入欧、脱亜入米が私たちの意識を拘束しています。

的場——そのあたりを一つひとつ解きほぐしていくのが思想の課題になります。そうではない見方とは何なのか。オルタナティヴの可能性はいくつもあったはずです。このあたりの位置関係で、そもそもこんな問題が起きたのは、オスマン・トルコが衰退していったためです。オスマン・トルコ弱体化の最中に起こった領土争いなのです。オスマン・トルコの最盛期は17世紀の最後、1699年カルロヴィッツ条約までです。

――フランス革命の影響と言われますが、19世紀に各地でナショナリズムが勃興します。ギリシア独立戦争（1821～29年）、第一次エジプト・トルコ戦争（1831～33年）、第二次エジプト・トルコ戦争（1839～41年）なども続きます。ロシアやオーストリアがバルカン半島進出の機を窺う。

的場――現在バルカン半島から西アジアにかけて激動の時代になっています。17世紀まで遡ると、オスマン・トルコはどんどん西に進出して、ウィーンに迫ります。その前にある今のブタペスト、これはオスマン・トルコの支配下に入ります。私の留学先のザグレブは本当に郊外までトルコになったんですね。

　この17世紀末までオスマン・トルコは勢いがあったんです、さすがのオスマン・トルコもだんだん力がなくなって、最終的には今のトランシルバニア山脈という場所（ドラキュラで有名ですよね）の東側まで撤退します。それはルーマニアのマップを見るとわかるの

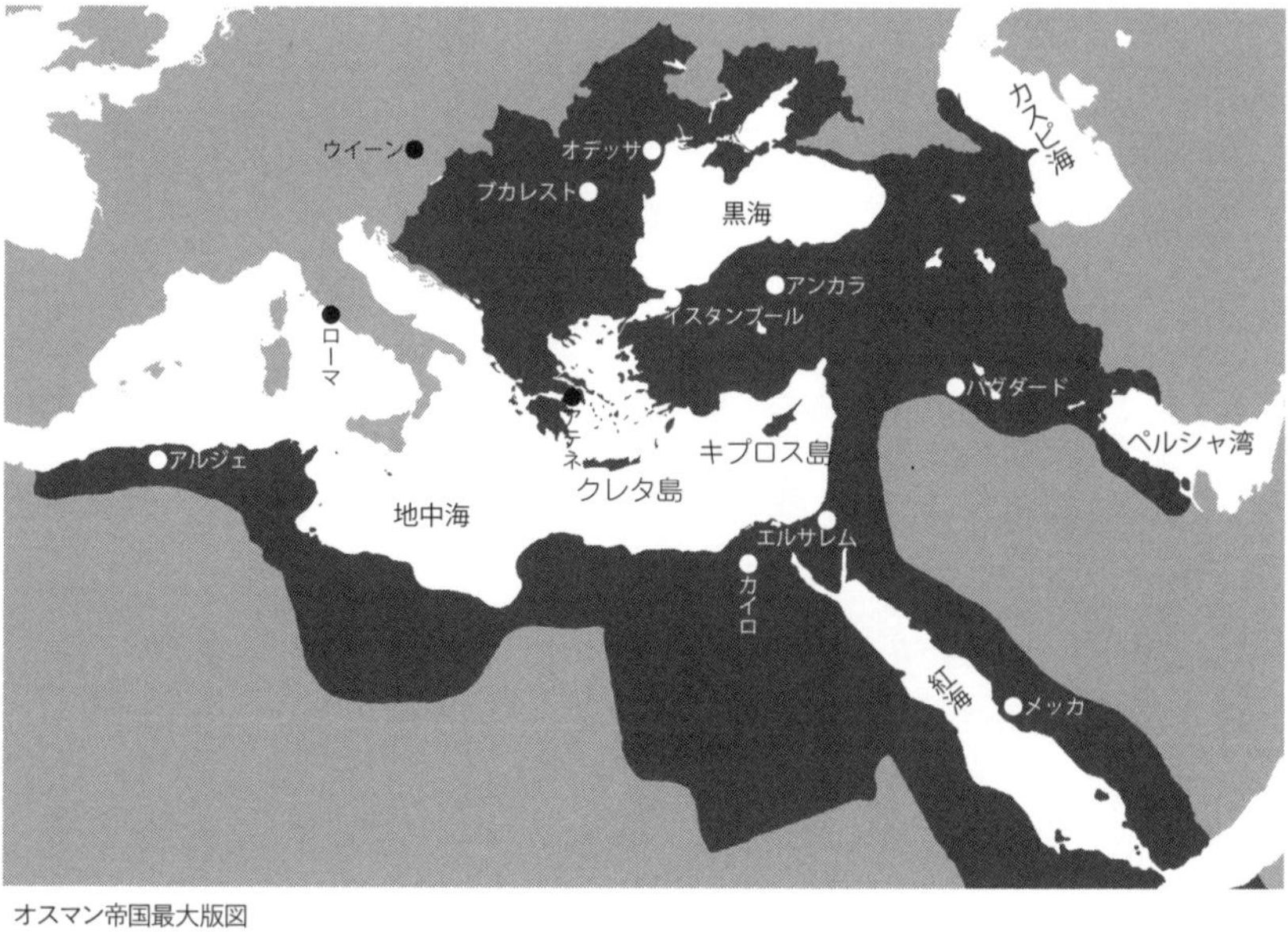

オスマン帝国最大版図

ですが、ルーマニアは今でも三つに分かれています。トランシルバニアは西で西欧圏です、トランシルバニア山脈の東ワラキアはオスマン圏、そしてウクライナに近い方はモルダビアでロシア圏となります。こうした分離はオスマン・トルコの撤退に起因します。

こちら側がオーストリアで、トランシルバニアを境にオスマン・トルコになります。これでとりあえず手を打とうということになったのが１６９９年のカルロヴィッツ条約です。後に西側の力がどんどん強くなっていきます。こうしてオスマン・トルコ地域に、西欧諸国が入ってくるようになります。他方で北の方にはピョートル大帝のロシアがありました。ロシアが徐々に力を持って、この地域に入ってくるようになります。さらに西の方はルイ14世の時代で、次第にヨーロッパが強くなる時代でした。オスマン・トルコが衰退していく中で、領土争いが18世紀に始まるんです。

――19世紀にユーラシア中西部の地図が一気に塗り替わっていきます。オスマン・トルコの支配から、ロシア・プロイセン・イギリスの領土争いの時代に変貌します。１８５３年のクリミア戦争はその象徴ということになります。黒海でロシアと英仏が激突した訳です。この時、「クリミアはウクライナだ」などと考える人はいません。

的場――以後、バルカン半島、黒海、コーカサス地方、カスピ海といった地域は、オスマン・トルコの衰退とともに、完全にロシア、プロイセン、英仏の領土争い、ないし覇権争いの場になります。後の20世紀の民族国家になぞらえるような意味での民族意識でこの地域を語ることは、その時代はできません。

アルメニアとアゼルバイジャン

——フランス革命の影響、あるいは地域ごとの資本主義の成立に伴って、それぞれの地域ごとに、領土や言語や歴史意識を共にすると考えて、民族が形成されます。民族というのは客観的に実在するわけではなく、民族意識を同じくする人々が結集して民族を名乗っていきます。主観と客観の総合で形成されていきます。こういう時代が来る。19世紀になって民族独立運動が盛んになります。西欧流の国民国家を作りたい。そのためには同じ民族であることが都合がよい。外部の他者を押し返す形で、「われわれ同じ民族」を作り出していきます。

国民国家の形成はイギリス、フランス、ドイツなど西欧の歴史を見ているとわかりやすく、私たちも一定の知識を持っています。西欧国民国家がモデルです。ところが東欧や西アジアの国民国家形成、民族形成については知識がほとんどないために、なかなかわかりにくい。

アルメニアとアゼルバイジャン

西アジアにアルメニアという小さな国があります。トルコの東北、カスピ海の西側です。アララト山がアルメニア人の聖なる山ですが、その北東方向に現在のアルメニアがあります。カスピ海と黒海の間にアルメニア高原、アララト盆地があります。世界最初のキリスト教国家と言われて、4世紀からキリスト教徒がいた国です。周辺がイスラム教になっていった中で、アルメニアはキリスト教徒の国です。ここが第一次大戦時にまさにロシアとオスマン・トルコの間ですから、焦点になります。オスマン・トルコ側は、アルメニア人がロシアの味方をする、戦闘の邪魔になると考えた。そこで起きたのがアルメニア虐殺です。今でもトルコとアルメニアの間で事実をめぐる論争になっています。

構図としてはロシアとオスマン・トルコの狭間でアルメニア人は虐殺され、強制移住させられた。その問題を第一次大戦後に処理する時、イギリス・フランスがリードして事後処理をしました。世界史の認識としては「全部トルコが悪い」という認識になっていきます。私の議論もそれをかなり受け継いでいるんですが、でも全部トルコが悪いという歴史認識にはやはり無理があります。

実際にはアルメニアの民族独立運動や、ロシア革命の影響などの中で、アルメニア人たちがいろいろ努力したのだけれども、イギリス・フランスに見捨てられて潰されてしまう。そんな局面もあるんです。こういう話がロシアと西欧のはざま、様々なところで繰り返し起きている。しかも、アルメニアと隣のアゼルバイジャンも現在、領土紛争の渦中にあります。

的場――アゼルバイジャンには行ったことがあります。アゼルバイジャンのバクーは石油で有名です。古くからの油田で有名です。ここは19世紀後半にやはりイギリスが入りました。ヨーロッパの経済発展を促した最初の石油資源はバクーでした。

——ノーベル賞のアルフレド・ベルンハルト・ノーベル（1833〜1896年）もバクーの石油で財を成した人物です。ノーベルはダイナマイトを発明して大富豪になりましたが、その資金を元にバクーにノーベル兄弟石油会社を設立しました。

的場——少し北の方に行くと黒海沿岸でも石油が出ますので、今ここが問題の場所です。バクーのとても近代的で美しいアリエフ博物館に行きました。その入口に大きな展示があります。何かというと、アゼルバイジャン人がアルメニア人に大量虐殺されたという話なんです。当然その逆ではありません。

——アルメニア人はトルコによる虐殺被害を訴えるけれど、アゼルバイジャン人はアルメニアによる虐殺被害を訴える。フランスのストラスブールに欧州評議会や欧州人権裁判所があります。欧州地域に在住するアゼルバイジャン人たちは、定期的にストラスブールに集まって、欧州評議会や欧州人権裁判所に要請行動をします。街の真ん中の公園、ストラスブール教会のすぐ近くの公園に集まるので、私も何度か遭遇したことがあります。

的場——私たちの歴史知識では、アルメニア人に対するアゼルバイジャン人の虐殺はかろうじて出てくるかもしれませんが、そのあたりのことはほとんど理解されていない。アルメニアはキリスト教なんですね。アゼルバイジャンはイスラム教です。イスラム教の方が虐殺することはあっても、彼等が虐殺されることはないという西欧の凝り固まった「偏見」の中にぴったり嵌らない面があります。アルメニア系はこれに対して、全く逆の話をしないといけません。

例えばレバノン辺りも、キリスト教徒が多いのですけれども、そもそもキリスト教ってのはこのあたりの地域ではかなり多い。それは4世紀に東ローマと西ローマにわかれた時に、東ローマの地域でムハンマド（マホメット）が現れるまでは、このあたりはキリスト教文化圏だったのです。だからこそ後に、カトリックによる11世紀の十字軍という発想が登場する。これは東方正教会とローマカトリックの分離とも関係していて、東方正教会とイスラムへの侵略が、エルサレム奪回という形で出現します。

キリスト教かイスラム教かという宗教だけですべて説明できるわけではありませんが、近世から近代にかけて、信仰の影響力がやはり大きい。西欧世界が確立していくとキリスト教の世界史的影響力がどんどん大きくなる。18～19世紀になってくると、世界史的影響を決めるのが、国民国家とか、民族国家とか、あるいは言語による支配という形で政治化していきます。

――ユーラシア西部の歴史地図が書き替えられていく過程で、宗教、民族、言語をめぐって、残念ながら悲惨なことが起きていきます。特に18世紀、19世紀、20世紀に起こってきたという感じです。ロシアが有力化してくるという話も、歴史的に見ると、スウェーデン帝国が衰退をする中でロシア帝国が勃興してくる。これが日本人の歴史認識の中には全くない。スウェーデンが巨大な帝国だったいうことはほとんど誰も知らない。

的場――以前、フィンランドのヘルシンキ大学の先生から聞いた話ですが、ヘルシンキ大学の中に博物館があります。ちょうど国会議事堂の横にある大学本部の博物館で説明を受けたのですが、今は観光地になっているヘルシンキのすぐ近くの要塞には大砲が設置されていた。その大砲はどちらを向いていたかと言うのです。18世紀、２００年以上前の大砲はロシア側ではなく、スウェーデン側に向いていたのです。その理由は、スウェーデン帝国の歴史を知らないとわからないのです。フィンランドはスウェーデン帝国の侵略を恐れた時期があったということです。

――15世紀にデンマークの支配を押し返したスウェーデンは、スカンジナビア半島からバルト海へ進出します。デンマーク、ロシア、ポーランドに包囲された小国扱いから飛躍するために16世紀に近代化の道を突き進みます。17世紀には「北方の獅子」と呼ばれたグスタフ2世アドルフが周辺諸国を制圧し「バルト帝国」を形成しました。30年戦争後には北欧の覇権を確立します。18世紀初頭には「大北方戦争」を戦い、カール12世は「北方のアレクサンドロス」と呼ばれますが、ロシア遠征の失敗から勢力を激減させることになります。

的場――ロシア遠征の失敗はナポレオンが再演し、さらにヒトラーが再々演することになります。ロシアでは前者を祖国戦争、後者を大祖国戦争といいます。

――フィンランドの島の中に一つだけ少し性格の違う島があります。オーランド諸島です。バルト海とボスニア湾の間にあるアーキペラーゴ（群島）です。フィンランド領ですが、住んでいるのはスウェーデン系住民で、スウェーデン語を話します。ストックホルムの沖合なので、スウェーデンとフィンランドの間で領土紛争になりかねない地域です。ここは１００年間、軍隊のない島になっています。フィンランド領だけどフィンランド軍が立ち入ることが出来ない。軍隊のないピースゾーンです。２００８年にピースゾーンの研究のために行ってきました。私の『旅する平和学』(彩流社)に報告を掲載しています。

オーランド以外のフィンランドの島はフィンランド系住民が居住しているので、スウェーデン帝国の記憶を保有しています。オーランド島民だけは歴史意識が全く異なる。

的場――バルト海地方も複雑です。次のような話は日本の歴史教科書ではわからない。19世紀までスウェーデンは今のポーランドや北ドイツに領土を持っていたんです。飛び地ですか。その一部にはバルト3国といわれるエストニア、リトアニア、ラトビアといわれている地域もあります。これもスウェーデンに支配されていた。バルト3国は20世紀になって一度、独立しましたが、ソ連邦に編入され、ソ連崩壊後にふたたび独立します。バルト3国の歴史経過は最近では少しは知られるようになったかもしれませんが、私たちの歴史認識には欠落していました。

――バルト3国というと私たちが知っているのは「杉浦千畝の命のビザ」くらいです。リトアニアのカウナス領事館にいた杉浦が、ナチス・ドイツから逃げてきたユダヤ人に続々とビザを発行して、６０００人の命が助かったという話です。

ピョートルの遺書

的場――「ユダヤ人問題」に関しては「シオンの議定書」が絡んできます。これは19世紀に出た偽書です。誰かが意図的に作ったんですね。ユダヤ人は世界戦略という発想を持っていて、この世界戦略によってユダヤ人はヨーロッパを乗っ取ろうとしているという話です。これがヨーロッパでユダヤ人に対する反ユダヤ主義の原因になっていくんです。

それより少し前になりますが、ちょうど19世紀の前半ですか、出版されたのは1812年といわれますけども、ナポレオンがロシアに攻めた時（1812年）にフランスである本が出ます。これは「ピョートルの遺書」といいます。この遺書によると、ロシアがヨーロッパ征服を企んでいる。フランスも何もかもやがてロシアに全部取られてしまう。こういう話です。

――奇妙なことに、侵略・進出している側が「このままではやられてしまう」という危機意識で偽書を送り出す。殴っている側が「殴るな」と叫ぶのは、よくある光景です。

的場――この見解がヨーロッパでどんどん流布されていきます。バージョンアップしたものが次々と出てくる。相手のことが理解できないからです。得体の知れないものだと思うと、同じ人間だと考えることができない。だから人々の偏見を煽る話が生まれます。なぜそういう偽書が出てきたのかを問わないといけない。

対ロシア戦争によるフランスの敗北は、ナポレオンの侵略の敗北と同時にナポレオン体制の西欧の崩壊だったんです。だからヨーロッパ人はロシアの勝利による西欧の崩壊を恐れた。ロシアがヨーロッパを征服するのではないかと恐れたのです。

ナポレオンによるロシアへの侵略も西欧的価値観からいうと、ナポレオンがフランス革命の民主主義と自由をヨーロッパに流布して、そしてヨーロッパにある帝国を壊して、新しい国家、新しい法的な国家に変えようとした。その意味では侵略ではなく、解放であるということになります。西欧の世界史の教科書をそのまま考えもせずに翻訳している日本人の私たちも、そういう意味でナポレオンのロシア遠征を侵略といわず、遠征だと理解しています。ところがロシア側ではこれをナポレオンの侵略に対して挙国一致で戦った「祖国戦争」と呼ぶのです。ナポレオンというとんでもない侵略者がやってきたので、祖国を守るために戦った歴史です。戦争の名称自体違うわけです。

　同じことは第二次世界大戦も、ソビエト側では「大祖国戦争」といっています。ナポレオンと戦ったように私たちは祖国ロシアを守るんだと。ナポレオンによる侵略とヒトラーによる侵略――これに対して祖国を守るというのはロシア側から見れば当然の認識です。

　ドイツでは、共産主義という悪しき全体主義を、資本主義という正義が打ち破るという発想を持っていたと思います。だからアメリカもヨーロッパ大陸への上陸作戦を1944年までしませんでした。

　どちらが正しいかを私はここであえて判断していません。少なくとも見方によって一つの戦争が全く違って見える。ナポレオンから見たら自由を流布するための正義ですね。ヒトラーから見たらあの憎き共産主義、マルクス主義のソ連であり、ソ連と戦争をして素晴らしい世界を作るという使命感だった。西欧に亡命したロシアの作家アレクサンドル・ゲルツェン（1812～1870年）が『向こう岸から』という本を書いていますが、まさにこれは憧れて亡命した西欧に、彼が裏切られたと思って書いた本です。それは橋のない川のような向こう岸にそれぞれがいるという話です。それらは向こうのロシアから見たら、単なる侵略にすぎません。これは私たちが今、目にしている事態と同じなのです。いま直面している問題もおよそこのようなものなんです。

――物事は多面的に考察した方が良いということは誰でも知っているのに、戦争となると「敵か味方か」という発想になるため、「両方から見てみよう」という当たり前の発言が許されない雰囲気になってしまいます。

資本主義と啓蒙主義

――次に資本や文明について伺います。経済的な発展の中で資本主義が成立しますが、その資本主義を支えた西欧の文化とか、民族、国家、そういう諸々の上に丸ごと大きなイデオロギーとして「文明」という言葉が重ねられてきます。続いて出てくるのが「人道」という言葉です。19世紀から20世紀にかけて資本主義世界に文明や人道が登場します。これがヨーロッパ、とくに西ヨーロッパの専売特許になっていきます。そのことの意味をもう1回考える必要があります。

的場――18世紀、思想的には啓蒙主義の時代になります。啓蒙主義というのは、光を灯すという意味ですが、日本では蒙を啓くという風に翻訳されています。その意味は人々には本来、人間としての人権があり、そして人々による人民主権というか、本来住民が支配するのが自然である世界があって、国王や皇帝が人民を支配するというのはその権利に違反しているのだという思想になります。

これは次第にヨーロッパに普及していきます。イギリス型の名誉革命であろうとフランス型のフランス革命であろうと、こうした人民主権という考えは普及していって、やがてそれは世界に流布していく。

それを象徴したのが、さきほどのナポレオンなんです。ナポレオンを評価する場合には、西欧では、ナポレオンが殺した、ヨーロッパ中から集めた若者の人数、何十万人という犠牲者のデータではなく、ヨーロッパの帝国や王政から人々を解放したという物語を理解することになります。

同じ問題は、当然ながら18～19世紀から起こってくる資本主義の発展と産業革命の問題にもいえます。これによってヨーロッパの世界に対する支配が強くなります。西欧によるアジアやアフリカの支配は、支配や侵略ではないという理論で補強されねばなりません。西欧列強がアジア・アフリカに出かけていって、アジア・アフリカの人たちを略奪、支配するためではなく、彼等を人間として解放していくためであると主張するのです。アジア・アフリカの植民地は短期的には支配だが、長い目で見たら、現地の封建的支配を打ち破り、人権と民主主義をもたらすものであると主張するのです。帝国主義という資本主義の侵略は、侵略ではなく、人権と民主主義を流布するための啓蒙と解放だと理解されることになる。それはキリスト教的使命、ミッションであり、キリスト教を流布するように、資本主義、啓蒙主義、人権と民主主義を流布する。

こういうミッション、使命感が、都合のいい理論で塗り固められる。現実は搾取と支配という非民主主義、非人権です。理論と現実は矛盾している。全く逆ですよね。長い植民地という支配を受け、それが民主主義や人権のためだったというのは、とても理解できない。今多くのアジア・アフリカの国が、こうした口実と虚偽に気付いて、彼等が使命とした人権と民主主義の薄さに激怒し、かたくなにそれらを信用できなくなっているわけです。

——民主主義の二面性に世界が引き裂かれます。

的場——これは資本主義社会の虚構性と同じです。私たちの社会は確かに豊かな国や進んだ国がしっかりとした豊かな生活を送り、そこに人権が生まれ、民主主義が生まれる。それは確かにそうなんです。ただその背景には踏み潰していく裏があるんです。アジア・アフリカの多くの国々、そこから略奪していく。それによって一方で市民という中産階級社会が存在していて、他方それ以外の国で民主的社会を成立させないで、搾取と支配が貫徹されていくシステムが成立している。

これは資本主義の原理でもあるし、ヨーロッパ啓蒙社会の原理でもあるんです。ヨーロッパ啓蒙は、一部ヨーロッパだけは確かに啓蒙化されるんだけれども、それ以外の植民地はその外にいて、非啓蒙の社会なのです。資本主義社会を世界全体で見たら、啓蒙主義は成り立っていない。このことに最初に気づいたのがマルクスだったんです。

マルクスは社会主義者、共産主義者などと一般に言われていますが、このメカニズム、18世紀を作った虚構のメカニズム——その最高の体系がヘーゲル哲学——その虚構性を暴いた人物だったのです。ヘーゲルを頂点とする西欧中心主義とその虚構を批判したマルクスは、まさにヨーロッパが作り上げた文明の背後に潜む野蛮を明るみに出したといえます。人権と民主主義というメカニズムはヨーロッパにだけ与えられるものとなり、その植民地である他の地域には適用されない。この関係を転覆すること、それは階級闘争だったのです。階級構造それ自体がこの構造の国内におけるモデルだったのです。政治や社会に参加する権利から排除された民衆は、国内において植民地の民衆と同じでした。だからこそ18世紀啓蒙の虚構を覆すためには、19世紀に存在していた階級社会を覆す必要があったのです。

グレートゲームの世界史

——西欧中心主義ではない見方をする。あるいはキリスト教中心主義でも、白人優越主義でもない見方が不可欠です。これらが全部重なって展開してるんですが、そうではないところから見る必要があります。その視点はどこかに一つあるのかというとそうではなくて、いろんな可能性があるはずです。アフリカから見ても、太平洋から見ても、ラテンアメリカから見ても、いろんな違いがあるはずです。

ロシア・ウクライナ戦争について考えるには、この間ずっと置き去りにされてるユーラシアの視点を1回入れてみた方が良い。西欧はユーラシア大陸の西のはずれの半島に過ぎないのです。100年前にはそれが意識されていました。100年前の世界史認識の中で言われたのは、イギリス対ロシアの対抗軸を焦点にした「グレートゲーム」です。この言葉がよく使われました。グレートゲームはどこで戦われたか。4つの地域です。

第一がボスニア湾とバルト海、第二が黒海とクリミア半島、第三がアフガニスタン、第四が「極東」の日本と朝鮮半島です。

第一はボスニア湾とバルト海——まさにロシア海軍を封じ込めるために、スカンジナビアとデンマークのところで押さえる。これがイギリス・フランスの戦略です。最前線が先ほどのオーランド諸島です。フィンランドとスウェーデンの間、バルト海とボスニア湾の境目にあります。この要衝の島にロシア軍基地が建設されました。イギリスはこの基地を抑え込みたい。

第二が黒海とバルカン半島です。まさにクリミア半島で今起きている問題です。黒海から地中海へのロシアの出口を押さえる。

オーランド諸島とクリミア半島は連動しています。

1853年のクリミア戦争の時に、英仏軍がオーランド諸島を攻撃してロシア軍基地を壊滅させました。

的場――バルト海、ポーランド、クリミア半島、黒海のラインが見えてきます。

――第三がアフガニスタンです。北からロシアが出てくる、南からインドを植民地にしたイギリスが出て来る。植民地インドとは「インドとパキスタン」のことです。両方含めて大インドを支配したイギリスがアフガニスタンに進出して、2度にわたってイギリス・アフガニスタン戦争を繰り広げます。イギリス・アフガニスタン戦争と呼んでますが、実はイギリス・ロシア戦争でもあるわけです。

100年後に同じことが、1979年にソ連軍のアフガン侵攻という形で起きる。イギリスの代わりにアメリカが出てくる。2001年にはアメリカがアフガニスタン戦争を始めて、占領状態になりました。傀儡政権を操って20年ほどアメリカ支配が続きましたが、2021年8月にターリバーンに追い出されました。アメリカと傀儡政権は民衆の支持を得られなかったために、軍事力が圧倒的に強くてもターリバーンに勝てなかった。ターリバーンの恐怖政治は問

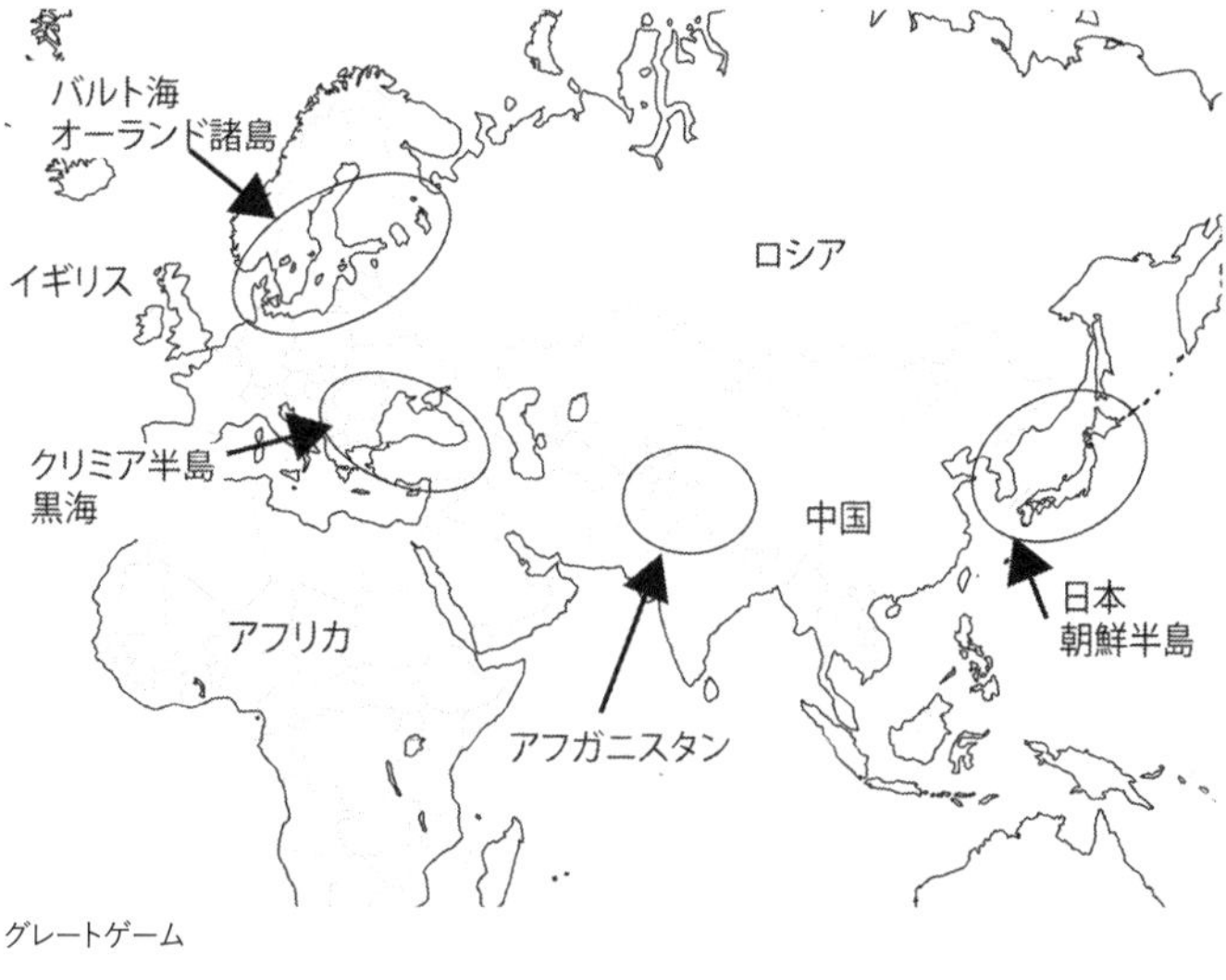

グレートゲーム

題ですが、外国支配よりはましだと思われた面もあります。ソ連の侵攻とアメリカの軍事支配によって廃墟となったアフガニスタンに「あだ花」としてのターリバーン政権が復活してしまいました。

第四が東アジアです。日本と朝鮮半島を舞台にする対立、その結果の日露戦争です。日露戦争は日本と朝鮮半島だけの問題ではなくて、１９０２年の日英同盟の帰結です。日本はイギリスの極東戦略の中に組み込まれていました。日英同盟は清をめぐる国際的な利権争奪のため、ドイツやロシアを排除するために締結されました。東アジアにおけるイギリスの利権を日本が担保する形になっています。

これもアフガニスタンと連動しています。清国をはさんで東と西に位置する日本とアフガニスタンの間にはもともと特段の関連性はありません。関連性を意識したのはイギリスです。イギリスは日英同盟の適用範囲にインドを含めようとしましたが、当時の日本にはそこまでの戦略も力量もないので、実際には東アジアにとどまることになります。ここで言うインドとは現在のインドとパキスタンのことで、アフガニスタンと国境を接していました。

グレートゲームで直接ぶつかり合った場所は以上の４つです。まさにユーラシア世界から見た世界史、あるいはグレートゲームという観点から見た世界史を考える必要があります。イギリス側から見ると、バルト海、黒海、インド洋、日本海という海の側からのロシア封じ込めです。ロシアから見ると、ユーラシア大陸に封じ込められる構図です。

的場――グレートゲームの最大の焦点は、18世紀前半まで力を持っていたオスマン・トルコが衰退して、そこにぽっかりと空いた空間ができてしまったことです。

さらにオスマン・トルコの隣にペルシャがあります。今のイランです。この辺りが力を失ってきたことで、ある意味で東欧から中東が空白になったのです。その最大の原因こそ西欧における資本主義の勃興なんです。これによってそれまでの帝国的力を失った地域が、西欧から見て空白地域に見えてくる。東アジアの清とインドのムガール帝国の衰退も同じ意味を持ちます。それがグレートゲームの原因になっていて、ピョートル大帝のロシアがその空白地域に侵入を開始し、一方でアジアの清の衰退の中、だんだん東方へ進出し、18世紀になるとロシアが空白地域を支配していきます。

これが先ほどの「ピョートルの遺書」の話につながります。イギリスやフランスは、この様子をみながら、ロシア人には侵略願望があってヨーロッパに侵略してくるんじゃないかと不安を抱えることになります。そのターゲットの一つが黒海です。焦点はバルカン地域とポーランドになります。バルト海と黒海を繋ぐ地域です。

ここをロシアがどんどん取っていき、クリミア半島も取っていきます。どこまでロシアが支配するようになったかというと、大体ドナウ川の北あたりまでです。今モルドヴァと言ってる地域です。どんどん取られるものですから、非常に困ったということで、これに対する恐怖感が反ロシアという形で、西欧で出現します。イギリスやフランスではとりわけ1830～40年代に反ロシア感情が強まり、大きな問題になっていくのです。

一方、アフガニスタンで第一次アフガニスタン戦争が起きます。1838年にイギリスがそこに入っています。イギリスはアフガニスタン戦争を繰り返しますが、結局敗北します。

——アフガニスタン中央部を東西に走るのがヒンドゥクシ山脈です。「インド人返し」という意味です。インドが南から何度も進出してきますが、そのたびこの山脈で追い返されました。7000メートル級の山脈です。インドを植民地にしたイギリスもここまで北上してきますが、ヒンドゥクシで止まります。インドとパキスタンを支配していますから、イギリスはアフガニスタンを押さえることはできませんでしたが、インドとパキスタンを支配的場――イギリスはアフガニスタンを押さえることはできませんでしたが、

もう一つは「極東」と言われる地域です。「極東」という言葉も西欧中心主義の産物です。正確には東アジア地域、すなわち日本や中国の地域です。ピークになるのが1853年、世間ではクリミア戦争と言ってる戦争のときで、ロシアでは東方問題と言います。

それまでに東方戦争は何度かありましたが、クリミア戦争はこうした東方戦争の末期の戦争なんです。クリミア戦争は1853年から始まるんですけども、それはクリミアの問題ではなく、ほとんどがドナウ川周辺の問題なんです。

ところがフランスとイギリスの狙いはこの地域ではなく、クリミアでした。だから東方戦争ではなく、西欧はクリミア戦争と名付けているのです。クリミア戦争の時に、日本にアメリカのペリーがやって来るんです。まったく同じ時期です。それは当然です。なぜかというとイギリスはロシアとの戦争で、カムチャッカも射程に入れています。西ではバルト海のオーランド諸島、ここをイギリスが攻撃します。東ではカムチャッカ、オホーツク海、日本列島、日本海、朝鮮半島を押さえたい。そこでアメリカのペリー艦隊が登場します。

ロシアの膨張を防ぐために各地で封じ込め政策をとる。それがグレートゲームで、ロシアを阻止する作戦はバルト海、黒海、アフガニスタン、日本と朝鮮半島という広範な地域となる。世界を制覇した大英帝国の植民地や半植民地状態になっていく地域です。植民地、又は半植民地を何とか抑えていく。それによってイギリスはロシアの南下を阻止しようと考えた。

——ペリー来航を日本史の中だけで見ると、やれ「黒船」だ、不平等条約だという話になります。それはそれで良いとして、世界史的に見ればイギリス及びアメリカ、つまりアングロサクソンの世界戦略の中にあることが見えてきます。

ペリー来航は日本だけではありません。琉球王国にも来航して、米琉条約を締結しているのです。琉球王国は300年以上の独立国家でした。日本ではなかったのです。米琉条約に引き続き蘭琉条約などが締結されています。琉球王国は国際関係の中で独立国家と認知されていた。それを1879年に琉球併合（「琉球処分」）したのは国際法違反です。アングロサクソンの視点から見ると、日本、朝鮮半島、琉球王国を中国から切り離し、独自の利権地域とするとともに、対ロシアの橋頭保にする。19世紀後半の東アジアの国際関係はその土俵の上で動きました。

的場——イギリスは中国を植民地にしようとも考えましたが、途中で止めました。これはイギリスの議会報告書の中に報告されています。中国と戦うとどれくらい兵器や人が必要かを計算しました。結果を見れば、とても戦争などできないとわかります。中国大陸でイギリスやフランスが本格的に戦ったら、到底兵力が足りない。中国をあやつってロシア南下を阻止する力としたいのですが、中国はその力はない。誰かに代わりにやってもらうしかない。それで注目されたのが日本です。ロシアのクマ退治や中国の退治に日本を使う。そういう形で１８５３年に突然ペリーがやってきて、その12月にクリミア戦争が始まります。思惑とはそういうことだったのです。

この時期、西欧ではイギリス、フランスに続いてドイツやイタリアが国民国家としてまとまりを見せるようになります。１８６０年にイタリアが独立します。同じ時期に日本の明治維新が起きます。日本をめぐってイギリスとフランスの競争になり、フランスが徳川幕府側について、イギリスが薩長につき、結局イギリスが明治維新の立役者になります。その後、私たちはずっとイギリスに振り回されることになるんです。アメリカは１８６１年南北戦争が起きたことで、すぐに日本への関心を失いました。

まさにこれが先ほどのグレートゲームです。日本を含んで当時のアジア大陸の巨人たちの力は弱まっていく。ペルシャとかオスマン・トルコが崩壊していく中でぽっかり空いた地域をめぐって西欧とロシアによる争奪戦が始まった訳です。

アフガニスタン訪問

――私は２０２３年3月にアフガニスタンに行ってきました。5度目のアフガンです。カーブル、ジャララバード、バーミヤンを回ってきました。

２０２１年8月にターリバーンが復権しました。このため状況が悪くなっています。特に女性の状況がとても悪くなっています。女性の権利が制約され、教育や医療の面でも危機的です。ただ治安自体は以前よりも良くなってるんです。ターリバーンが力で支配しているためです。前政権はアメリカの傀儡ですから、若干の民主化の努力をしたとは言え、アフガニスタン民衆の支持を得ることが出来ませんでした。外国軍による支配ですから、半植民地状態でした。ターリバーンはアメリカを力で追い出して、アフガニスタンの独立を勝ち取ったのです。人権を尊重しない困った政権ですけど、傀儡政権ではなく自前の政権ができたのです。カーブルの政府庁舎にはポスターが貼ってあります。そこには「アメリカを追い出して、自由になった！」と書いてあります。

こういう事実を日本政府やメディアは隠します。アメリカ支配を美化して描き出す。日本と同じだからです。米軍基地を各地に配備して、主権も民主主義もない、剥き出しの力による支配です。アフガンの酷い現実を日本政府やメディアは非難しません。非難すれば直ちに日本の米軍支配問題につながるからです。沖縄とアフガニスタンが重なってしまいます。ターリバーンはアメリカからの独立を闘い取りました。日本は闘いません。ひたすらアメリカにこびへつらう。政府も日本社会もその方が得だ、楽だと考えているように見えます。二重三重に複雑化してしまい、日本の報道を見れば見るほどアフガニスタンのことはわからなくなります。

的場――アフガニスタンと言えば、中村哲さんのペシャワール会のイメージだけですね。

――私自身はアフガニスタンの女性の解放を求める「アフガニスタン女性革命協会（RAWA）」というフェミニスト団体と20年来付き合っています。「RAWAと連帯する会」という小さな市民団体を作って、アフガニスタン訪問を繰り返してきました。清末愛砂・前田朗・桐生佳子『平和とジェンダー正義を求めて――アフガニスタンに希望の灯を』（耕文社）をご覧ください。ターリバーン政権下で女性に対する抑圧が非常に深刻になっています。女性が1人で外出するのも困難です。旅行に出かけることは男性と一緒でないといけないとか、あるいは学校も女性は小学校に限られます。中学校、高校には行かせない。前政権の時には大学まで行くことができたのですが、それは全部閉鎖され、女性は大学から追い出されました。

そういう中で私たちはアフガンの女性たちの支援をしてます。政権が認めないので、RAWAは秘密の女性学級をやっているのですが、これは年配の女性で字が読めない人たちのための学級です。それから子どもたち、特に中学生のための学級です。女子中学は非合法ですから、発覚すると閉鎖させられたりするわけです。

私の関心事項としては女性の権利の実現が第一ですが、同時に先ほどのようなグレートゲーム――日本とアフガニスタンという、中国を挟んでちょうど対極にある日本とアフガニスタンの国際政治的な位置です。日本では全く関係ないと思われています。アフガニスタンに関心を持つ人は極めて少ない。亡くなった中村哲さんを先頭にペシャワール会が貴重な仕事をされてきましたが、それ以外は振り向かれることも少ない。

しかし近代史の中で見ると、日本とアフガニスタンは同じフィールドに登場します。結局、日本はプレイヤーとして活躍します。朝鮮半島や琉球列島をあたかもボールのように蹴とばしながら、日本がプレイヤーになりました。アフガニスタンも何度もプレイヤーになろうとしましたが、周辺大国の介入によってボールにされてしまいます。蹴とばされてばかりです。

――ユーラシアという言い方をして、これまでロシアのことを主に伺ってきましたが、東アジアという観点では、今現在どうしても中国という問題になります。これまた台湾問題も含めて今のマスコミでは散々大騒ぎしてるわけですけれども、ロシアと西欧との関係でアジアがどういう位置にあるのか。

的場――世界史におけるアジア、あるいは東アジアの問題はいまだにすっきりと解けない面があります。マルクスにしても、当初は西洋中心主義を免がれてはいませんでした。資本主義の西欧から世界を見ていたのです。後にロシア問題に向き合う中で、少しずつアジアの特質を考えざるを得なくなりますが、当初はマルクスも、将来社会主義や共産主義に進んでいくためには、ヨーロッパ、特にフランス、イギリスが先頭を切っていかねばならない。そのモデルを二つの国が提供するしかないと考えていました。

西欧のように生産力が発展し、資本主義社会の矛盾を最大限に引き出し、そうして崩壊する。資本主義が高度に発展した国が共産主義の条件を準備する。共産主義のためには高度な生産力が必要だという考えです。それ以外の遅れた地域は、このモデルを見て後から追いかけていくという非常に単線的な歴史観であったのです。全てが同じ方向に行っている歴史観を主張する人たちは、その後、主にドイツ社会民主党系に引き継がれます。

遅れた地域ロシアとか、そういう地域は階級闘争や社会運動など発展していない。そうした地域では階級闘争は起こらない。まず資本主義的関係を発展させないといけない。そのためには、じっとそれまで我慢するしかないということでした。そうだとすると資本主義が遅れた地域では階級闘争や革命運動は成り立たない。そこでロシアの人たちは「私たちの国が同じ道を通らない方法はないのか」と考えた。１８７０年代にロシアのナロードニキがマルクスに「ロシアでの革命は可能かどうか」と聞いたのです。マルクスは最初悩みまして、確かに自分の議論はそうなっているけれども、これまでの議論は西欧だけに限定しておこうと考えると主張します。その最初の表現は『資本論』仏訳版の中にあります。

マルクスはロシアについて調べます。特にロシアの共同体（ミール）について調べると、そこに違う発展のあり方もあるのではないかと考え始める。違う発展のあり方がありうるということになれば、マルクスの中に一つ考え方として、先進国から革命が起こるという考えを変えるしかない。後進的地域にも革命の可能性があると考えることになります。

そこに登場したのがボリシェヴィキです。ボリシェヴィキによる革命は、皮肉な結果をもたらします。それはロシア革命です。ロシアに革命が起きた。ロシア革命が資本主義を乗り越える革命ならば、ロシアは遅れているので、先進国でなくても共産主義への道を歩めるのだということになります。

しかしロシア革命が実現しても、実際は社会主義革命に進む前提がない。急激に経済力を発展させるために、集団化とか、農業からの収奪とか、かなりきついことをやって行きます。結果として、発展した資本主義の国の生産力に追いつこうとしたという点では、やはり後進国革命はありえなかった。だからボリシェヴィキのもとで資本主義を発展させるという道を通っていくことになります。その意味において、ロシアは矛盾に満ちた革命でした。政治的革命は簡単であったのですが、経済的革命が難しかったからです。そのため社会主義革命と言いながら、一方で資本主義的な経済を発展させるしかなく、それが急ぎすぎた、西欧化を生み出してしまいました。

ロシア革命は、ある意味で社会主義革命であり、また資本主義革命であるという二重の革命であったといえます。西欧型革命を模倣するという点で、晩年のマルクスの思想をまったく受けてなく、中期でのマルクスの考え、すなわち革命は資本主義の発展からしか生まれないのだから、そこまで追いつくしかないという考えにふり回されます。国家独占資本主義にも似た形態が生まれ、共産党独裁による利潤獲得の経済が発展していく形になります。

ロシアに続く形になりますが、中国やヴェトナムなどはそういう道を通らなかった。長い歴史があるので、その中から新しいタイプの資本主義、新しいタイプの社会主義的変化は可能ではないのかと模索した。それは長い間植民地化経済にいたことで、西欧化を受け入れながら、それに抵抗するという歴史を持ったことが重要です。

皮肉なことにソ連・東欧が崩壊し、あらためて資本主義の発展に注目するようになった。アジアの国々の資本主義の発展は、社会主義の発展と同じく、西欧型ではなかったといえます。少なくとも共産党は残っていて、資本主義といっても完全に欧米と同じような体制になってない。このあたりは経済学者にとってとても重要な問題です。これを説明するためにマルクス経済学はどう説明したらいいのか。これは今も難題です。

一方、先進国では「転換期の思想」と言ったときに、ちょうど50年前まで流行していたのですが、市民社会論全盛の時代がありました。先進国では、資本主義の発展の中で逆に階級闘争は進まず、プロレタリア層がむしろ中産階級化し、市民へと変貌していった。それまでの階級闘争と社会主義運動という流れを変え、市民運動としての社会改革運動へと進んでいきました。

市民社会と社会主義

――1960～70年代に盛んに議論がなされた「市民社会と社会主義」の議論ですね。

的場――市民社会派と呼ばれる流れができた時期です。ところがその市民社会論もある意味で破綻しました。それは先進国の方で市民社会を形成して、そこから社会主義へという方向に向かう議論でした。それは同時に、労働者だけでなく消費者や自治体などにも着目し、新しい運動をつくりました。

――1970年代の革新自治体論ですね。1967年の美濃部亮吉東京都知事、1971年の黒田了一大阪府知事の登場に象徴される革新自治体の躍進です。

的場――消費者運動や自治体論の重要性はもちろん認めますが、資本主義と社会主義の文脈に引き直すと、そこに大きなずれが生じていました。それは中産階級の存在自体が、資本主義国の帝国主義化と結びついていて、先ほど人権と民主主義の議論のところでお話ししたような問題、つまり植民地と宗主国との問題と同じような問題があったからです。中産階級化つまり市民社会化は、帝国主義的支配の中でのみ存在していたということです。旧植民地が発展すると、途端に宗主国の中産階級は没落していきました。

そういう中で全く別のやり方として、アジアの社会主義路線をもう1回勉強して見直さないといけないという議論も出てきます。これは一方で、共産党がいる資本主義社会という問題です。商品経済と共産党が併存しているという社会です。

——商品交換の体系が基軸を成す共産党政治です。

的場——これまでの社会は、アメリカを中心とした西側と言われてる諸国の国際政治の利害ですべて決められてきました。いまはそうなっていない。アジアやアフリカの発展の中で、これらの地域が経済的にも政治的にも、なおかつ軍事的にも大きな声をもつようになっています。それは東西冷戦と似ていますが、同じではありません。アジア地域は社会主義と言っても、ソ連や東欧のような社会主義ではなく、どちらかというと国家独占資本主義に近い。いずれにしろ資本主義国です。これらの地域は西欧の植民地の経験がながく、ヨーロッパの外に存在していました。その意味で西欧の経済のみならず、思想に関しても単純にその方法を受け入れるということはしていない。

特に中国は、西欧（日本も含みます）の半植民地的支配、またソ連社会主義の影響を受けたが、自分たちの独自の道を歩んできました。自分たちの世界で資本主義も社会主義も理解しようとした。おそらく中国というものが数千年にわたる独自の資本主義的な世界を持っていたことが影響していると思います。中国の共産党支配による資本主義は、独特なものを持っていると思われます。その点で資本主義は今、二つあるのかもしれません。米中の覇権争いはまさにそこにあります。18世紀以降に生まれた啓蒙主義を前提とした資本主義と、そうではないアジア的資本主義という二つ。アジア型の社会主義運動はそうした意味での資本主義とクロスしています。

——国家独占資本主義という言葉が出ました。私は法学専攻なのですが、法律の分野では１９６０～70

年代の市民社会論の影響を受けて、近代市民法を見直すということが盛んに行われました。それと同時期にもう一つ、「国家独占資本主義法としての日本法をいかに把握するか」という「現代法論争」が展開されました。１９７０~80年代に論争がありました。講座派、労農派、そして宇野経済学の影響を受けながら、法学基礎理論を構築しようとしていました。池上淳さんの国家独占資本主義論にも学んでいました。しかしそこで止まって、その後の議論は変容していきます。１９９０年代以後、国家独占資本主義論の影響は一気に消えていきました。ただやっぱり資本主義と社会主義という議論をするときに、国家独占資本主義なるものが一体何であるのか、今後も多分問題になるだろうと思います。

世界史の主役

——次に世界史について伺います。的場さんの最近の著書に『19世紀でわかる世界史』があります。世界史の「主役」はイギリスやフランスなど西欧諸国でした。20世紀の主役はアメリカということになります。今もアメリカが主役ということにはなるんですが、21世紀はまだ20数年ですので、長いスパンで見たときに21世紀には主役交代劇が起きるかもしれません。既に始まっているのかもしれません。

的場——現在、資本主義がどこへ行こうとしているのかという問題と併せて、資本主義の主役の交代劇が起きているのかどうかは、まだはっきりしません。歴史というのは、常に歴史を駆動する主役が交代していくので、その意味では一般論としてアメリカがこれまで主役でした。それもわずか１００年ぐらいです。イギリスからアメリカに交代して１００年です。

それでは次は中国かという話になりますが、どう変わっていくかは予測の限りではありません。今一番考えるべきことは、もっと根本的な問題の方です。それは、こうした移行が平和裡に進むのかどうか。18〜19世紀のヨーロッパによる新しい資本主義の発展、西欧社会の勃興と、それによるアジア・アフリカの征服というものは、私たちに暴力と侵略、搾取と弾圧をもたらしたことを忘れてはなりません。それは確かに不幸の歴史でした。もちろん私たちの生活を西欧が大きく変え、少なくとも生産力を発展させたことは確かです。私が大学で教えていた経済学もそれ以外の学問も、いずれもヨーロッパ人がもたらしたものです。私の頭の中も、こうした西欧が提供した学問で、とりわけ若いうちは完全にフォーマットされていました。そのフォーマットに従って物事を考えていました。まさに私の頭の中は西欧的価値尺度で形成されていたのです。

歴史を遡ると、このフォーマット自体も変わってきています。価値観が変わっているということです。16世紀、15世紀、14世紀とどんどん遡ると、その頃にある世界に対する価値観というものは、当然、今とは違っています。そう考えると、私たちの価値観を含めて今後どう変わるのか。つまり主権をアメリカやイギリスが取ったという問題は、たんに経済や政治、そして軍事といったものだけでなく、18世紀から始まる啓蒙主義、理性によって世界を律していく発想、私たちに様々な意味で影響を与えている人権、民主主義、こうした自由という考え方も含めて、彼等が世界のイニシアティヴを取ったということです。

――自由や人権、民主主義、法の支配、そして立憲主義が議論の余地のない進歩であり、前提とされました。法学的世界観に立つと、そのことに一切疑いを持ちません。これに疑いを持つのは封建制イデオロギーと決めつけられます。

的場――アメリカをはじめとする西欧の自由と民主主義、それは一方では啓蒙の精神のことですが、これは嫌だなと考える立場もあります。歴史とは厳しいもので、こういう考え方ですらやはり変わっていかざるを得ない。根本的に学問をつくっている基本構造ですら変わる可能性があるということです。それは今という現実の中で生きている我々にはとても辛いことでもあります。私たちの頭の中にすっかりと近代主義の価値観が浸透しているからです。

　私もヨーロッパの学問を学び、ヨーロッパに留学しました。価値観が西欧式になっていたのです。それが変化する時代がこれから来るということになる。やはり長い歴史の中で、例えばインドとか中国という国が勃興してくるのは当然で、しかもインドや中国がアメリカ型の啓蒙主義的思想とはちがうものを、我々に与えるかも知れない。そうなるとこれまでのものが大きく崩れてしまうわけです。

　経済や政治の権力において中国やインドが掌握すると同時に、これまでの価値観と違ったもの、つまり新しい文明規範が出現する可能性がある。これは大きな出来事ですね。その恐怖感は、すべての日本人が持っていると思います。それが今回のウクライナ戦争に奇しくも現れているのです。西欧的な価値観を壊して、新たな価値観が生まれてくるのではないか。そうなると明治維新以後アジアを離れ西欧に追随していった日本そのものが崩壊するのではないか。そうなると全ての人生が危機に陥る。これは怖いことです。

　この点で参考になるのは、やはりマルクスです。マルクスの思想は基本的には西洋的だったのですが、彼はその中で格闘し、そこから抜け出ようとした。イギリスやフランスから世界は動くと思っていた。

しかし晩年それを変える。まさかロシアが社会主義になるとは思いたくなかったし、思わなかったでしょうが、それでもそうした考え方を人生の後半に学ぼうとした。実際ロシアで革命が起きてしまった。マルクス個人はこの点きわめて柔軟であったし、その思想もこのように柔軟だったのです。世の中の変化に対応する順応性と柔らかさを持てということです。

何といっても西欧の物まねをし、それを受け入れてきた日本人にとって、とてもおおきな衝撃が今後起こるかもしれない。それをどう理解するかですね。それがこの問題の一番難しいところです。いくらまねてもまねできないところがある。ずっと長い歴史の中に規定されているものがあるということです。それが物まねに抵抗するのです。明治維新以後の日本は西欧に忠実であったが、その分抵抗がなかった。だから西欧の価値観の崩壊を西欧人以上に恐れるのです。

――日本政府、政権関係者、マスコミが好んで使う言葉が「普遍的価値を共有する」という言い方です。いつから言うようになったのかと気になります。安倍晋三政権では随分と使われたと記憶しています。

的場さんが言う、違う価値観が成立することへの恐怖感から守るために、西側の、あるいはアメリカナイズされた私たちの価値を守るために、「普遍的価値」と力むことになる。

的場――普遍的価値観と言っているものにも、その絶対性がないということです。だから恐怖が生まれるのです。例えば国際世論なるものが持ち出されますが、実際には国際世論と言っても、いくつかの国、西欧だけですが、その考えにすぎないのです。せいぜい40カ国ぐらいです。しかし、それが普遍的であると思ってしまいがちです。

国際基準と言われているものも、例えば「外国では」と言う時、大体ヨーロッパとアメリカなんです。それ以外の国との比較が出てこない。それが熟慮なしに基準として通用している。絶対化しているわけです。それ以外の基準というものに対する恐怖感があります。経済的に韓国や台湾に追い上げられ、追い抜かれていく。その中で今孤立感を感じています。明治以来、西欧的価値を体現しているから、危機感が感じられる。

——猿真似のトップランナーから転落する恐怖です。

逆のケースもありました。２０１１年、中国国籍とされる男性が靖国神社の施設に放火しました。そして日本で捕まらずに韓国に逃げました。日本と韓国の間には日韓犯罪人引渡協定があります。ところが韓国は引渡しを拒否しました。日本はなんと数十回にわたって執拗に引渡し要求を続けました。

２０１３年、ソウル高等裁判所は容疑者を「政治犯」と認定した上で、靖国神社は平和や民主主義という普遍的価値に反すると見て、結論として「靖国に放火した件で容疑者を日本に引き渡すことは文明国家の普遍的価値に反する」と判断しました。日本政府もマスコミも愕然として沈黙に追い込まれました。有効な反論を展開できない。強烈なアッパーカットに、誰も議論しようとしない。議論すると靖国神社という反文明的神社に国際的関心が集まってしまうからです。

的場——恐怖が現実化してしまったケースです。私たちはずっとアジアにいて「極東」と呼ばれるこの地域で、貿易も、文化も、私の喋っている言葉も、名前もアジアの中でつくられたのに、私たちはそれをできるだけやめようとしてきました。徐々に部分的に放棄してきた。そのことによって数々のショックな出来事を経験してきたと思います。

私は慶應義塾大学の出身ですが、慶應義塾の創設者福沢諭吉は国民にとても大きな、深刻なショックを与えました。アジアや中国はもういらない。ヨーロッパに学ぶべきだ。そうすることによってしか生き延びるチャンスがないのだと宣告したのです。これは当時の日本にとって大きなショックでした。このショックは、一方で私たちに不幸をもたらしたことは確かです。どんなに背伸びをしても、西欧に到達することができないからです。どんな文明にも数百年、数千年の歴史の厚みがあるのです。近代西欧に限れば数百年とはいえ、そこに流れこんだ西欧的なるものには数千年の歴史がある。明治になって日本が突然そこに加わっても、それを深く理解することは不可能です。

――福沢諭吉は文字通り明治政府の「お師匠様」として日本の近代化、帝国化を先導・煽動しました。安川寿之輔『福沢諭吉のアジア認識――日本近代史像をとらえ返す』（高文研）以後、福沢諭吉像の捉え直しが進んでいます。

グローバリゼーションとは何だったのか

――１９８９年以後というか１９９０年代にグローバリゼーションということが盛んに言われました。ところが20世紀になってからあまり言わなくなりました。普遍的価値であれば言い続けるはずですが、人によって違う使い方をしていたのかもしれません。当時のグローバリゼーションというのは何だった意味でのグローバリゼーションだったんだろうと思います。

そうは言いつつ資本が包摂《ほうせつ》しきれてない、グローバルサウスの問題が今後も問われ続けています。もう一つは、宇宙に出かけるという話が今出てきています。アメリカの有名企業家のロケットが爆発したというニュースも報じられました。アメリカも中国も宇宙競争を始めています。いよいよ本格的に宇宙に出かける。なおかつ宇宙戦争までやってしまうような時代、「スターウォーズ」の時代に差し掛かっているので、グローバリゼーションという資本の流れがどんどん広がっていく中で、矛盾がいっそう爆発しかねません。

的場——資本主義は最初からグローバリゼーションなのです。これは止めようがないというか、資本主義はその市場の問題に深く関係してます。資本主義は商品を売って利益を上げる以上、国境を認めません。最初は小さな市場で成り立つのですが、そこで満足できません。小さな市場として最初に成立したのが国民国家なんです。19世紀の国民国家は、ある意味で自分たちの国の資本を守るためにできたと言えます。国の大きさによって違いますけども、当時の生産力に見合う市場の「適正規模」があった。

ところが生産力が大きくなり、過剰生産が始まると、商品の販売は国境を越えていきます。その国の市場だけでは過剰生産になり利益を上げられません。どんどん外に出ていく。これを資本の進出と言いますが、資本が世界市場に進出してくる。そうなれば資本は限界までいくしかないのです。当然ながら、それまで資本主義の市場ではなかったアジア・アフリカ地域を最初は植民地にします。しかし植民地であっても市場としては存在しています。やがてそれらの地域を独立させます。独立させて、しかも賃金を上げて、そこに商品を売り込みます。それが矛盾を生みます。

それが行くところまで行って、もう広げる市場がないところまで行きます。地球上には未開の地はもうありません。どこの国家でもない地域はごく一部を除いてない。もうこれ以上市場を開拓する余地はないのです。それらの地域が消費や原料供給の対象ではなく、いまや生産地域として独立し、先進国の市場を奪っているのですから。ここに資本主義の矛盾があるわけです。資本主義は市場を広げることそれ自体が目的じゃないんです。市場を広げることによって、人間の労働力を奪う、ある意味で労働力を支配していくことに目的があります。それは利潤を獲得する手段を獲得することです。地球以外には、労働する人間がいないわけですから、宇宙に飛び出るわけにもいかない。そうすると地球以外に出ていく意味はそれ自体ありません。

資本主義の発展と同時に、もう一つ「資本の文明化作用」という言葉があります。マルクスが『経済学批判要綱』（1857~58年）で言っている言葉です。マルクスはある意味で近代主義者です。一方で資本の悲惨な側面を見ると同時に、文明化作用も見ています。資本はアジアやアフリカ地域の野蛮な文明を近代文明、優れた文明に変えると言います。マルクスがオリエンタリストと言われる理由の一つなんですけれども、そのためには資本主義の発展を受けて、場合によっては植民地になったとしても、その植民地が近代化を進め、文明を広めることになる。文明とはヨーロッパ文明なんです。

文明が世界を変えていく。ただ不思議なことが起こるわけです。1989年のベルリンの壁崩壊、その結果としてグローバリゼーションが進みます。特にヨーロッパにとって、グローバル化は彼等に返ってくるブーメラン現象だということです。特に左翼勢力であるドイツ社会民主党やフランス社会党がこのグローバル化に乗る。その原因は資本の文明化作用という発想でした。

そして彼等はこう主張します。国内の市場を守ろうとするのはとんでもない連中であると。グローバル化大賛成なんです。今回のウクライナ戦争で煽っている西側の人々の多くは、そうした人たちが多い。民主主義を広めるのだという英雄的気持ちを持っている。つまり民主主義という資本の文明化作用を進めているのだというのです。実際には資本主義の利益のためだということを隠しているだけです。文明化の方は主張するのです。資本の利益は隠す。西側にとってのウクライナ戦争の現実はまさにここにあります。

第二章　マルクスとともに考える

——的場さんの「マルクス学」の出発点となった著作『トリーアの社会史——カール・マルクスとその背景』(未来社、1986年)は、マルクスを生み出したトリーアという町の歴史社会に焦点を当てました。歴史学における社会史や民衆史の視点を踏まえたマルクス研究という道を歩き始めた頃の問題意識をお願いします。

年配の方であれば日本の論壇でマルクス主義が盛んだった時代を知っていると思いますが、いつの間にかマルクスの名を聞くことがなくなって、すっかり変わってしまいました。ところがまた最近、マルクスの名前がいろんな形で出ています。そうした中、40年間ひたすらマルクス学をやってこられた的場さんにお話を伺います。マルクスの人生は60数年あり、思想的にもいろいろ変遷があるので、マルクスといっても時期によりかなり違う議論をしてるはずです。そうした詳細に立ち入る時間の余裕はありませんけれども、いくつかのポイントに絞っていきます。

『トリーアの社会史』という本が的場さんの最初の著作です。トリーアという町の歴史的社会的な考察を通じて、この町が生み出したマルクスの人生と思想に迫るための視点を提出する試みでした。当時、日本の歴史学でも社会史、民衆史が発展しつつありました。『トリーアの社会史』の方法論的な関心というか、当時の的場さんの問題意識——それが現在まで繋がっていると思います。

的場——半世紀ずっとマルクス研究を続けてきました。私のマルクス研究の他の人との違いと言えば、そのしつこさということが第一です。たいていの人は当時マルクスが流行だったから、それで研究していた。一部の著作を読んで、そこから自分の意見を述べていく。マルクスの作品の一部しか読まない。仮に著書を全部読んだとしても、せいぜい一回でしょう。私の場合はその程度じゃない。私は時にはマルクスの自筆原稿までを読み、出版された著作がどのように編集されたかなども考慮する。マルクスに関係することが本当にそうだったかというのも自分で調べます。マルクスが住んでいた所に行って調査をする。また西欧各地のアーカイブ資料なども渉猟してきました。そこまで調べる研究者は日本人にはあまり居ないと思います。

なぜなら、この国の学問というのは明治以来ヨーロッパに追いつくために、ひすたら西欧人の書いたものをなぞるというか、良いところだけ持ってこようとする。ヨーロッパの思想をそのまま持ってきて、自らの世界と西欧との違いを認識し、抵抗して考えるという習慣がない。それが近現代の日本に特徴的現象でした。私はそういう軽い研究が嫌いでした。いわばマルクス・ブームに少し遅れてきた、遅れた「全共闘」なんです。当時の全共闘の多くは、マルクスが流行らなくなると逃げていきました。マルクスをとことんやるということがない。根本まで遡り、本の編集もマルクス伝も、なにもかもそれが本当に正しいのかを極め尽くすということをしなかった。結局、ソ連やフランスなどで編集されたもの、またそこで問題になった議論を、そのまま信じ議論する。それが流儀でした。私の師は遊部久蔵ですが、そこでマルクスを学びました。

——全共闘世代の「マルクス葬送派」と称した人たちが「われわれは5分間でマルクス主義者になった。だからやめる時も5分間でやめられる」と言っていたのを思い出します。マルクスを読んだことすらないのにマルクス主義者と自称した人たちがいた訳です。

遊部久蔵（１９１４〜77年）は経済学者で、慶応大学教授でした。東亜研究所の出身で中国労働者階級の研究をしていました。マルクス価値論研究の第一人者ですね。著書に『マルクス価値論の根本問題』『価値論争史』『労働価値論史研究』『商品論の構造』などがあります。

的場――日本を代表するマルクス主義研究者でしたが、１９７７年在職中に他界されました。

当時のマルクス研究は、マルクスが生きていた時代の書物ではなく、マルクス死後にソ連で編集されたものを使って研究せざるを得ませんでした。とりわけドイツ語のＷｅｒｋｅ版です。翻訳や研究の際に、例えば『資本論』第一巻であれば、フランス語版が出ています。フランス語版はマルクスがチェックしています。マルクスが自分でチェックした版がちゃんとあります。ところが研究する側がソ連東欧時代の編集本をそのまま使っていたりする。もちろん初版も使いません。マルクスは版を重ねるごとに自分で改訂していったのです。

結論だけいえば、日本のマルクス主義が崩壊せざるを得ない根本的理由はここにあったとも言えます。思想をしっかりと確定するためには、原典から含めてすべてをオリジナルでつくっていかねばなりません。つまり倒れないように杭を打つということです。杭がソ連版や西欧版に頼っているだけである。原典を自ら編集するという点だけではありません。自国の歴史や文化とあわせて、抵抗して理解していかねばならないということです。そこまで行ってない。

――抵抗して理解するというのは、批判的精神を持って学ぶことです。批判的精神がないと、単なる受け売りや物まねになるしかない。どの学問分野でも当たり前のことですが、実践するのは必ずしも容易ではない。

的場――そこまでやってみたらどうなのかと、私はまずそう考えました。とことんマルクスと付き合ってみよう。そうしたらいったい何が見えるか。もちろんわからないことはたくさんあります。どこまで肉薄できるか。その試みの一つが最初の著書である『トリーアの社会史』なんです。

――大学院生の時、書店で偶然手にしました。私はマルクス主義者ではなかったのですが、マルクス主義に大いに関心があって学んでいました。『トリーアの社会史』ですから、一方で「社会史」で、他方でマルクスというので、不思議な印象を受けました。当時、社会史や民衆史が歴史学における重要テーマであることは知っていましたが、階級闘争史ではなく、マルクスを研究対象とする社会史というのは新鮮でした。

的場――マルクスを研究対象とするためトリーアの町に行きました。そこの市立図書館に所蔵されているマルクスの洗礼名簿などを調べました。ユダヤ教からプロテスタントに改宗していますので、その記録を調べたわけです。そこには様々な資料がありました。カジノ・ゲゼルシャフトの記録も見ました。カジノというのはその頃の社交場です。ドイツの研究者の中にも、これを見た人もいます。ドイツ人ですから当然見ている。でも、すべてを見ているわけではないので、見てないものもあります。私はトリーア市のいろいろな記録を徹底調査して、頭の中で19世紀のトリーアの町に生まれたマルクスの生活はどんなものであったのだろうかと考えました。

――マルクスを生み出した町の歴史や社会を明らかにすることによって、マルクスを生み出した土壌なり、マルクスが育った雰囲気なりがわかる。マルクス家がどういう歴史を持ち、マルクスの父親が何を考えたか。マルクスはどのような家庭で育ったかも明らかにした訳ですね。

的場――私はそうやってみようと思ったんです。なぜそこまでやらないのかと考えて、トリーアへ行きました。先輩の研究者たちが書いていることは本当なのか。私はあまり人を信用しないんですね。ヨーロッパ人が書いていることでも、ヨーロッパ人、ドイツ人だからといって本当にわかっているとは限らない。私が自分で行くということは、私はアジア人ですから、アジアから見たらマルクスはどう見えるか。そういう問題意識も持ちながら、トリーアに行って徹底して調べました。例えばマルクスの誕生日は5月5日なんですが、洗礼名簿には5月4日とか、5月2日とか誰かが書き込んだりしている。洗礼は5月5日ではありません。一般的には5月5日が誕生日だと書いてあるんです。はっきり言って、一般に知られてることが正しいわけではない。そんなことはどうでも良いと思う人もいるでしょう。ただ、そこまでやれば何が見えてくるか。

　私が若い時にやったことはいわば、まだ世間に知られてない無名な少年マルクスの追跡です。単なるカール少年をとりあえずトリーアの町に置いて、一体この少年がなぜこんなところに育ったのかを見てみよう。ですからトリーアの町を調べ、その環境はどうだったのか。マルクス家の先祖はどうだったのかを考えた。将来結婚することになるイェニーも同じ町の出身なんです。イェニー・フォン・ヴェストファーレンという女性が、どのような家族と、どのようにこの町に暮らしていたのか。これも調べました。

マルクスが書いた一番最初の論文は、職業の選択に関する論文です。トリーアのギムナジウム（中等教育機関）卒業の試験です。１８３５年8月に卒業試験がありました。その時の卒業試験では、実は32人の学生が論文を書いています。マルクスの論文だけを読んでも、その評価は難しい。他の学生の論文を読んで比較しないとわからないんです。それまでの研究者はマルクス青年の論文だけを読んで、評価を加えています。他の学生の論文も読むと見えてくることがあるかもしれません。そんなことやって何になるのかと思う人もいるでしょう。とてもマニアックな話です。ただ、マニアックなことも必要です。

――マニアックな研究は、場合によっては「オタク」と言われたりしますが、本気でやらないと中途半端な、それこそ「オタク」にとどまります。徹底的にとことん追求して初めて研究として意義が出て来る。

的場――要するに本物を見ることです。そうすることで次第に対象が自分の肉体の一部になってくるわけです。ここまでやってくると。私は「マルクス学」を追求してきました。人間学ですね。言い換えると他のマルキシストとちがう。マルクスを神様のように扱ったり、絶対無謬のマルクスを置くというようなことは一切ありませんでした。マルクスを普通の市民として見ていますので、それほど偉くはない。あくまでも同じ立場に自分を置いて、相手を見る。そしてその間違いもしっかり見ていこうという立場なんです。

――マルクスに従って考えるのではなく、マルクスを研究対象として、その生涯と思想を解明する。

的場――かつて西洋ではマルクソロジー（Marxology）という分野がありました。それを一番批判したのがソ連でした。マルクスの生活をしっかり調べれば、実像がわかる。そうするとマルクスに不利な資料も出てきます。困るわけです。しかし、マルクソロジーは必要だと思います。たとえマルクス主義にとって不利になる状況が出ても、それはそれで徹底して調べていく必要がある。実像を知る必要があります。

私自身を納得させるという意味で調べて書いたのがこの『トリーアの社会史』です。ある意味で唐突だったかもしれません。当時は現地に行って調べる研究は稀でした。最近では若い人たちはそういう所にいつでも行けるようになり、ヨーロッパも近くなったと思います。資料の整理でも、昔はパソコンもインターネットもないので、資料を読むのも大変だったんです。現地に行って史料を出してもらう。とても読めない字で書かれています。そういうのを努力して読むというのは、とてもマニアックなものです。

でも、ちゃんとそこまでやる。最大の問題は納得するということです。誰が言っても間違いなく「私は見た」。すべて確認し、調べ上げて、納得する形でこの本を出しました。それが１９８６年でした。そういう意図ですから、今も同じようにマルクスを徹底して掘り下げて研究する。しかしマルクスを媒介にしながら、私たちの社会をどう理解していくかということに本来関心があるので、そちらの方にやがて進んでいくことになります。

ジャーナリストとしてのマルクス

——的場さんが唱えた「ジャーナリストとしてのマルクス」という着眼点は斬新です。マルクスという思想家をどのように把握し、位置づけるかは常に論争の対象でしたが、経済研究者や経済思想家であると同時に、あるいはそれ以前にジャーナリストとしてのマルクスに着目するのはなぜでしょうか。

的場——20～21世紀の私たちは自分の時代の認識で人を判断します。私たちは20世紀の人間として、19世紀のマルクスをその作品『資本論』から経済学者あるいは哲学者として解釈したわけです。これによって大体どんな人がマルクスに接近するかがわかります。例えば岩波文庫版で『資本論』や『共産党宣言』を読みます。マルクスは経済学者だったんじゃないかと考えます。あるいは革命家、哲学者だったじゃないか。こう考えるのは当たり前なんです。

でも同時代人と言いますか、19世紀の人たち、マルクスのライバルや他の人たちはマルクスをどう見ていたかというとこれは違っています。彼らは当時のマルクスの活動から見るに決まっています。例えばドイツ人の運動家の世界ではマルクスは革命家です。あるいは陰謀家というイメージもあります。マルクスの論敵から見たマルクスはどういう人物であったか。マルクスの支持者から見たマルクスだけでなく、論敵が彼をどう見ていたかを知るべきです。そうするとその人が当時どんな人間だと見られていたかが半分ぐらいわかります。マルクスは一体どういう人間として見られていたか。マルクスが書いて印刷物になったものは圧倒的に新聞記事なのです。

例えば『ニューヨーク・デイリ・トリビューン』に1850年代に投稿し始めます。最初はエンゲルスが英訳していたのですが、やがて英語ができるようになり、直接書くようになりましたけど、大体1851年から始まって62年頃まで書き続けます。

『ニューヨーク・デイリ・トリビューン』には毎週1回、社説を書いています。これはアメリカでも極めて市場規模の大きい新聞で、当時日刊10万部以上刊行していました。そのヨーロッパ特派員になったのです。ロンドンで収入がなかったので、ここに記事を書いたわけです。毎週1本あるいは2本書いているのですから、10年にわたって書くとその分量は相当のものです。戦争があったりします。たとえばクリミア戦争とかが起きると、それについての記事を書きます。

他方、初期の代表作で、私たちが今『経済学・哲学草稿』(『パリ草稿』)と呼んでいる本があります。これは出版されたものではありません。原稿が残っていて、ずっと後に出版されます。マルクスが1850年代に書いた本で、当時の人たちが知っているものがどれだけあったかと言えばほんの僅かです。エンゲルスとの共著『聖家族』(1844年)と『哲学の貧困』(1847年)はありましたが、若い頃に執筆したものは出版されていないものが多い。『共産党宣言』(1848年)も、マルクスの名前で出版した訳でありません。当時の人が見ていたマルクスは、私たちが知っているマルクスではないのです。

1840年代に『独仏年誌』や『ライン新聞』を編集していますが、世間に広く知られた訳ではありません。私たちは『資本論』のマルクスという後年のイメージを持っていて、そのイメージで初期の論文を読みがちですが、当時の人にとっては無名のマルクスに過ぎないことを忘れるべきではありません。

——どの思想家の研究でも、後年の到達点から逆算して青年時代の思想を描き出す誤りは良く見られます。それではいけないとわかっていても、到達点が偉大な業績であればあるほど、影響を受けてしまいます。

的場――1845年にブリュッセルに行って、エンゲルスや他の仲間と『ドイツ・イデオロギー』（1845〜46年）を書きましたが、これも出版されていません。パリに移ってから、さまざまな組織にかかわって論文を書いています。『共産党宣言』はブリュッセル時代です。その後、ケルンで出資者を募って『新ライン新聞』を発行しましたが、やがて翌年5月発禁処分となり、ドイツにいられなくなってパリを経てロンドンに亡命します。

1850年代のロンドンでの生活は貧困状態でしたが、大英博物館に通って猛勉強をします。エンゲルスからの仕送りや、『ニューヨーク・デイリ・トリビューン』への寄稿で暮らしていました。その前は『新ライン新聞』の雑誌版を企画しましたが、それは頓挫し、定期的にはこの新聞が中心となります。それらの新聞記事を合わせるとかなりの分量になります。これが当時の19世紀の人が抱いたマルクスのイメージなのです。つまり新聞記事を多数書いているジャーナリストというのが正確なイメージです。やがて傑作である『資本論』第1巻（1867年）が出て、これで有名になりますが、それ以前のマルクスはジャーナリストとして知られていたのです。生きている時には、表ではジャーナリストがマルクスの顔だったけれども（1864年からは第一インターの書記長というイメージ）、死んだ後は裏である『資本論』をはじめとする著書の方が表になって、今は大抵の人に聞いても『資本論』のマルクスです。マルクスが生きている間に書いたものとして、『経済学・哲学草稿』とか『ドイツ・イデオロギー』とか、後の研究者はこれに基づいて議論します。でも当時の読者はそんな本は知らなかったのです。

――マルクスの年譜を作ったその順で主要著作を読みますが、実際に世に出た順番とは違うわけですね。

的場――マルクスはジャーナリストですが、私たちが言う現代のジャーナリストと同じように扱うこともできません。当時の新聞というのは、購読者が非常に少ないのです。１８４０年代から増えたとはいっても、大体1日に10万部以上出す新聞社っていうのは世界にほとんどありません。『ニューヨーク・デイリ・トリビューン』は10万部を超えています。多くはせいぜい3万～5万部です。読む人たちはかなり高度な教養レベルです。文字が読める人は多くない。当時、一般人のための小学校もきちんとありませんので、知識人階層は限定的です。

新聞記者の書く記事は、今日どこで何が起きた、殺人事件が起きた、犬が人間を噛んだとかいう記事ではありません。じっくり考えた論説です。哲学的論文といっても良いものです。クリミア戦争の問題もそうです。クリミア戦争はなぜ起こったのか。どういう原因で起こったのかを論じていくわけです。私たちの近辺にある安っぽい新聞記事ではなくて、論説であり、論評であり、例えば学者が書く論文に近い記事です。読者の水準が高いからかなりのレベルなんです。

――新聞記事に書いたものを、後にまとめたのが『賃労働と資本』（１８４９年）、『フランスにおける階級闘争』（１８５０年）、『ルイ・ボナパルトのブリュメール18日』（１８５２年）などでしょうか。

的場――例えば『資本論』を見ると、実は意外とマルクスは『ニューヨーク・デイリ・トリビューン』などに書いた記事をそのまま使っているのです。あれほど推敲に推敲を重ね、何回も書き直したマルクスが、自分で書いた新聞記事を使っている。使い回しているとも言えます。そこまで調べる人があまりいないから、わかっていなかっただけです。ある意味、使い回ししながらマルクスは書いていますが、もう一つ、これは良いところもあるのです。マルクスの素晴らしさは文章がうまいということです。

——文章がうまいというのは、ジャーナリストに求められる資質です。

的場——私はマルクスの上手な表現をつかって1冊本を出したことがあります（『とっさのマルクス』幻冬舎、２００９年）。マルクスのフレーズには何かの時に使いたいフレーズがたくさんあります。レトリックという意味では、マルクスはやはり優れていました。そのレトリックのレベルも高いんです。そういう意味でジャーナリストとしてのマルクスの位置は高いと同時に、ここが一番重要なことですが、マルクスは現実の問題をしっかりと見ながら『資本論』を書いていたということです。『資本論』を書く時に、アダム・スミスやリカードといったアカデミックな著書ばかりを見ながら書いたのではない。ここで今までの学者たちは誤解しているのです。

スミスやリカードを経由してマルクスがどうなったか。労働や社会がどう発展してきたか。それをどう見ていたかも確かに重要なことです。ただそれ以上に、当時マルクスは『資本論』を書いている中で、中国やインドの問題、あるいはポーランドの問題を見ながら、その現実の記事を書きながら、それを『資本論』の中に活かそうとしていたということを忘れてはいけません。現実感覚がなければ、実は理論など書けない。マルクスは現実の問題をしっかり見た人だということです。ですからマルクスのことをよく知るためには、われわれも今起こっている現実の問題とどう向き合うかを考えないといけない。

今でも私たちがマルクスを読むのは、その時代に対する批判の武器を探すためです。それはマルクスの現実分析が優れていたからです。まさにジャーナリストとしてのマルクスを読めということなのです。それほど現実問題を抉り、分析している。ここがマルクスのジャーナリストとしての素晴らしさです。

ジャーナリストという言葉の定義をしておかないとなかなかその意味を理解することは難しいのですが、ジャーナリスト、コラムニスト、評論家といろいろ並べてみても、当時のマルクスを表現するのは難しい。マルクスに戻って考えるしかない。そういう感じなのかもしれません。

――「ジャーナリストとしてのマルクス」という見方は、初期から後期までを通して、一貫して適用できるでしょうか。

的場――マルクスは意識としてジャーナリストであったと思います。

当時のジャーナリズムの定義として一つ興味深いのは小説家のオノレ・ド・バルザック（１７９９～１８５０年）のそれです。フランスのバルザックは一貫して一つのテーマ（人間喜劇）を追いかけましたが、若い青年に対して、ジャーナリストとは何かという話を書いています。一つは、ジャーナリストとして飯が食えるためにはどうやったらいいか。もう一つは、それとは違って、そうした飯を食うためのジャーナリズムが本来あるべき姿ではないということです。この二つを合わせながら、バルザックらしく、よくわからない形で複雑に書いています。

前者の方は何かというと、若い青年が「僕もパリに出てきて、文章を書いて飯が食いたい。どうしたら良いですか」っていうと、バルザックは答えるのですね。秘訣は本を読んで、そして何かを書くってことはやめた方がいい。時間がかかってかなわない。では、どうしたら良いか。とりあえず、単純に言えば、話を繋いでいって、いかにも読んだように書いて、そして、適当に時代に合わせれば良いんだという訳です（バルザック『幻滅』）。

当時、１８４０年代に出てきた新しいタイプのジャーナリストがいたんです。もう一方でコツコツ真面目にやって、一所懸命書くんだけども、なかなか評価されない人です。バルザックはその二つを紹介して、どちらが良いとも言ってないです。ただ問題は、時代の流れをそれが反映していることです。新聞が10万～20万部に増え始めたときに、やがて新聞の中心がいわゆる論説記事から連載小説に代わっていく。そこに登場したのが有名なバルザックとヴィクトル・ユゴーなのです。

新聞を何のために毎日買いに行くかというと、それは連載小説を読むためだったのですね。今日の新聞では、昨日の話がどう展開するかと期待する。新聞を買う目的は、そこに書いてある高尚な記事ではなく、連載小説です。昨日こんな窮地に陥った主人公は今日どうやって助かるだろうと思って、新聞を買う訳です。新聞がだんだん大衆化していく中で、論説を書いてる人たちが次第に不必要になっていく。小説を書く才能の方が重要です。こうした移行期にマルクスのようなジャーナリストたちが一時代を築いたのです。

マルクスはすでに一時代遅れているのですけれども、しかし優れていました。売れるものは格別水準の高いものである必要はなく、ジャーナル（日々）の言葉、フランス語では「一日」ということです。その日に通用するその日限りのもので良い。その日のことさえ書けば良い。一方で反面やはりそれではいけないのだという人たちがいた。しかし時代の中で次第に取り残されていくのです。

『ニューヨーク・デイリ・トリビューン』は大手の新聞です。ヴィクトリア女王が読んだというくらいのものです。ここに書くと結構、反響があったのです。そういう反響があったことで、いろんな人間関係もできる。マルクスは、意外と自分もジャーナリストとしての誇りをこの新聞を書くことで持っていたと思うんです。

マルクスは初期から最後までジャーナリストだったのか。ジャーナリストであったことが、マルクスの研究やマルクス自身にとって本当にプラスだったかどうかです。私たちはマルクスが残した作品の多さに感動しています。書いていないと残っていない。残すことが重要なのです。とにかく、彼が書いていたってことが重要です。何しろ書きに書いた。ちょっと多すぎると思うくらいの書き量なのです。

――的場さんもものすごい量の著作を出しています。そういうところもマルクスの影響かもしれません。

的場――マルクスは１８４４年４月に経済学を勉強し始めて、その勉強し始めの中で、一方でそれをすぐに使いながら次々と記事を書いている。しっかり書いてそれを残してくれたおかげで、マルクスはどんな記事を書き、どんな本をノートにとったかなど、全部わかるんです。

最近出版されている１８７０年代以降の新メガ（『マルクス・エンゲルス全集』）に収録されている草稿というのがあります。１８７０年代は、マルクスが何にもしてなかったと言われてる時代なんですけども、そうじゃない。しっかりとノートをとっていたのです。とにかく膨大な量のノートを残していた。本を読み、それをノートしていたのです。本を読みながら二重線引っ張るとか、「○」を付けるとか、「×」をつけるというやり方で本に印をつけるのです。時々はそれにコメントを書き、批判したりする。晩年になってくると、もう引用だけで何にもコメントがないのですね。それでもマルクスはとにかく読んで、引用する。

――読書魔にして引用魔、驚くべき勉強量です。

的場――不思議なのは、引用しているところを意外と書く時に使わない。引用してないところを使うというぐらい、荒業を使います。彼がこうやって引用しても残してるおかげで、１８７０年代の草稿が残っています。残っている草稿は、マルクスがそれまで見せたことのない、ある意味での彼の違う局面を見せてくれる。これは後から話をした方が良いと思います。若い頃のマルクスは、どちらかというと18世紀の啓蒙主義の影響を受けてます。

啓蒙主義とユダヤ人

的場――生まれた時代を語ると、マルクスの父親も結婚相手の父ヴェストファーレンの男爵も、トリーアの町もそうなんですけど、フランスに支配され、フランス的な啓蒙主義に染まっていました。ですからマルクスの周りにいる人はみなフランス的な人たちで、全体でプロイセンに対しては基本的に違和感を持っている。カール少年が通ったギムナジウムの校長先生ヴィッテンバッハは何冊か著作がある人で、それもカントとかそういうものを研究している。極めて純ヨーロッパ色の強い町です。思想家としてマルクスもそれに影響されているところはある。

もちろん一方で典型的なユダヤ人なんです。家系はラビです。それも過去を遡れば3～4世紀前まで遡れます。ラビの家系は遡れます。ラビは、たいていの場合ラビの娘と結婚するからです。ラビ同士で結婚します。遠い町を結ぶ結婚でどこから来たのかというと、父親の方は今のアシュケナージ、東欧の方のユダヤ人です。先祖がパドヴァの大学教授をやっていたとか、こういう先祖をもつ。それがわかるぐらいの名家です。名家であるマルクス家がなぜ改宗したのかという問題があります。最初に改宗したのは父親ハインリヒです。

この問題は以前から議論の対象になっていました。ソ連ではユダヤ教徒の確執、そして西欧ではキリスト教が強いこともあって、ハインリヒはプロテスタントになることで利益になる方を選んだと述べるのです。とりわけその啓蒙精神に感動し、改宗したのだと。日本の伝記でもたいてい宗教上の問題だと書いているのですが、実際はそうではない。仕事上の都合だけだったのです。実をいえば、改宗した後も兄のラビが早死にしたのですが、その後もハインリヒはラビと同じような活動をしていました。弁護士でしたが、弁護士の仕事のかたわらユダヤ人の相談をやっていたのです。

それともう一つ、母親は改宗をずいぶんと嫌って、数年改宗を遅らせたんですね。母親は典型的なユダヤ人です。ユダヤ教というのは、母親がとても大事な役割を占めます。なぜかというと、父親の系譜ではユダヤ人とは認められないんです。なぜなら、母親は食べ物だとか生活風習をしっかりと子どもに教えるからです。ですから母親がユダヤ教であれば、いくら改宗しても変わらない。マルクス家はその後もユダヤ的であったと思われます。

そうすると、生活が変わらないとすれば、ユダヤ人との関係が維持される。面白いのは、1860年代にマルクスが叔父のフリップスに書いた手紙を見ると、「私たちユダヤ人は」と書いている。やはり彼は心の奥底ではユダヤ人だったといえます。あの啓蒙主義の中で育っていたわけですから、そうした精神が身についていたことも間違っていません。ユダヤ人の中ではそれに対する反発が起こるわけです。

「ユダヤ人のまま近代世界に入れるのか」という問題です。しかし19世紀前半では改宗以外に方法はない。

19世紀後半になると少し変わってきます。ユダヤ人のままでも変われるということになってきたのです。こうした複雑な情況の中で、マルクスは少年時代を送っていたことを知っておく必要があります。

他方『資本論』を書き終えてから、マルクスの西欧啓蒙主義に対する態度が変わっていきます。1860年代後半から亡くなるまでの時期ですね。多分、マルクスが考えてきた啓蒙主義的な発想に悩みを感じるようになって、その頃からロシア語の勉強を始めます。何人かのロシア人と知り合いになります。

マルクスは、自分が研究した対象である西欧は世界の指針だと思っていた。資本主義を世界一般として対象にした。しかし自分が対象にしていたのは、あくまでも西欧であった。それもとりわけイギリスだけです。イギリスを知ったからといって全てを知ったわけではないということで、マルクスは少しずつ疑問を持つようになったと思います。その時にマルクスが関心を持ったのはロシアの共同体です。またアジアのいろいろな問題です。これは彼の健康上の問題があったこともあり、何かを書き上げることなく亡くなるんです。彼は何にでも興味を持っていたといえます。その当時のノートは地学、アジア的共同体、農業、数学など広範囲な分野にわたります。

これをジャーナリスティックと言えるかどうかわかりませんが、この特質はずっとありました。とにかく社会ではいろんなことが起きますよね。マルクスは運動家というよりもジャーナリストの感覚で、それらを興味を持って調べるんです。それが彼の思想の変遷に繫がったという意味では、あらゆる問題に対する関心領域がマルクスを作り上げたといってもよい。

――マルクスの思想が変遷してきたのは当たり前で、マルクスは60年生きてます。ですから変遷します。日本でこのことが注目されたのは、的場さんが若き研究者の頃、１９８６年に『トリーアの社会史』を書かれた頃です。１９７０~80年代にかけて、日本の論壇や思想界で大きく注目されていたのが、初期マルクスの変遷だったわけです。それが具体的には『経済学・哲学草稿』から『ドイツ・イデオロギー』へとなります。この時期にマルクスの方法論的な意識、世界認識のしかたが変わったのです。

『ドイツ・イデオロギー』の大変有名な「哲学者は世界を解釈してきたが、重要なのは世界を変革することである」という言葉もあって、そこが当時焦点になってました。『ドイツ・イデオロギー』の編集問題を廣松渉、山中隆次などが盛んに議論していました。

私は一般読者として読んでいただけですが、当時の議論の中で重要な役割を果たしていた山中隆次先生（中央大学教授）の大学院の授業に出ました。１９８１年度の1年だけですが、大学院商学研究科の山中ゼミの片隅に座っていたことがあります。山中ゼミは『経済学・哲学草稿』を岩波文庫版の順番ではなく、マルクスの草稿の順番に引き戻して読解する作業をしていました。マルクスの変遷――「疎外論から物象化論へ」とか、『経済学・哲学草稿』から『ドイツ・イデオロギー』へという問題を的場さんはどう見ていますか。

的場――実は、それこそ私の最大の研究テーマの一つなんです。

山中隆次さんも廣松渉さんもよく個人的に知っております。当時、教えを請うた教授たちなんです。『経済学・哲学草稿』から『ドイツ・イデオロギー』への問題は日本でも大いに流行っていましたが、とりわけフランスの哲学者ルイ・アルチュセール（1918〜1990年）が言った問題が非常に大きく影響して、日本でもさかんに取り上げられたのです。1965年の『マルクスのために』と『資本論を読む』が有名です。その重要な概念は「認識論的切断」という言葉だったんです。アルチュセールの論理が素晴らしいのは、ある種のなんというか、評判になる新しい言葉をつくりあげ、それこそ重要だと指摘する点です。「認識論的切断」という言葉を持ってマルクスの初期と後期が分かれるという議論を展開したのです。

初期と後期を分ける場合、それはいったいいつなのかという時に注目されたのが「フォイエルバッハ・テーゼ」（1845年）です。「フォイエルバッハ・テーゼ」の13番目はとても有名ですが、その13番目のテーゼは「世界を変革する」と言っている。そしてフォイエルバッハの唯物論の地平を乗り越えようとしている。これがマルクスを新しい意味での唯物論に導いたのではないか。それまではどちらかというとヘーゲル観念論的な立場をとっていたのだが、それ以後変わったんだと。分岐はどこにあったのであろう。そう考えて『ドイツ・イデオロギー』が注目された。

初期マルクスへの視線

――「初期マルクス」という問題はマルクス思想の変遷と現実世界の問題の双方にかかわっていました。

的場――この問題を述べるには、そこに行く前に1956年のスターリン批判に触れる必要があります。

１９５３年にスターリンが死んでからフルシチョフの批判があって、今までのマルクス主義の考え方、弁証法的唯物論と言われたものに対する批判が出てきます。

当時、マルクス主義と言えば弁証法的唯物論、史的唯物論という概念でした。教科書的に書かれた解説書がたくさんありました。実はマルクスが弁証法的唯物論という言葉を使ったわけではありません。そんなことは一言も言ってないわけです。弁証法は言っています。ヘーゲルの弁証法に学び、批判してきた訳ですから。唯物論についても言っています。フォイエルバッハの唯物論は当時よく知られていました。だけどその二つがくっついた弁証法的唯物論などマルクスは言っていません。

ソ連邦の政治や学問の中で作られた概念で、かつてマルクス主義が語られた時代があります。マルクス・レーニン主義の時代です。それは日本の学問にも圧倒的な影響力を持ちました。そこにある世代までの人がかかわっていました。私はその世代の後に大学に入ったので、前の世代と少し違う。それまでの多くは、マルクス主義はもっぱら経済学で、そこから入ってきた人たちでした。

スターリン批判以後の世代は、初期マルクスに興味を持ちはじめた。初期マルクスの哲学的な部分を理解しないとマルクスの全体像も理解できない。当たり前と言えば当たり前なんですけども、経済学を勉強し始める前のマルクスは哲学研究者でした。初期の重要論文の一つが「ヘーゲル法哲学批判序説」や「ユダヤ人問題によせて」であることは、みな知っていたことです。それでは初期マルクスとは何なのか。どこにその特徴があるのか。そこから何を引き出すのか。多くの研究者が論陣を張りました。その中で突出していたというか、大きな影響力を持ったのが廣松渉さんです。そのきっかけは『ドイツ・イデオロギー』編集問題でした。編集問題とは何かというと、『ドイツ・イデオロギー』は１８４５～46年にマルクスとエンゲルス、そしてヘスなどが書いたのですが、出版したかったのに出版社から断られて、放置されました。マルクスとエンゲルスが死んだ後、ドイツ社会民主党が保管していたのですが、ロシア革命後に原稿のコピーがソ連邦に送られました。その結果、１９２６年に出版されたのです。ダヴィド・リャザーノフが編集したので、リャザーノフ版と呼ばれます。

さらに１９３２年、旧ＭＥＧＡ（『マルクス・エンゲルス全集』）に収録されましたが、アドラッキーが編集したので、アドラツキー版と呼ばれます。ところがアドラツキー版は原稿をバラバラにして、自分たちの意図通りの順番に並べ替えたのです。つまみ食いの編集をしたのではないかと批判されることになります。日本では１９５６年にアドラツキー版の翻訳が岩波文庫（古在由重訳）で出ました。１９６６年に合同新書版（花崎皋平訳）が出版されて、普及しました。

こうして『ドイツ・イデオロギー』編集問題が起こります。本来の『ドイツ・イデオロギー』を復元するべきだという議論が生まれます。それは内容にもかかわって、『ドイツ・イデオロギー』においてマルクスが新しい境地に立ったのはどの点であり、またエンゲルスなどが書いているので、それはマルクスとどう関係しているのかという点が重要な問題になります。そうした議論の先頭に立っていた廣松渉さんは１９７４年に廣松渉版（河出書房新社）を出版しました。

――編集問題というのは、素朴に考えると奇妙な話で、マルクス・エンゲルスが書いた原稿をそのまま出版すれば良いはずですが、歴史的な文献や資料の場合、錯綜している原稿をどのような順番で提示するかは大問題になります。どのような編集方針を採用するのか。そもそも編集とは何なのか。編集者はどこまで手を入れるのか。編集がどれだけしっかりしてるかを知らないと、実は大変なことなんですね。

的場――どのような編集作業を行ったのか、その記録、経過がわからないと、出版されたものの検証ができなくなる恐れがあります。テキストクリティークっていうのは学者として行わねばならない基本的な作業です。基本的な作業としてのテキストクリティークですが、かつてはそれほど厳密ではありません。印刷される以前のものは、読者には手が届かないところにあることが多い。『ドイツ・イデオロギー』の原稿がどこにあるかというと、幸いなことに保管されていて、アムステルダム社会史国際研究所にあります。

マルクスが死んだ後、原稿はエンゲルスが保管しましたが、所有権は末娘と、2番目のですね、ラウラがもらったんです。所有権です。ただこれは結構たくさんあるので、原稿をドイツ社会民主党が保管することになったのです。ドイツ社会民主党が入手しました。それでベルリンに行きます。しかし第一次大戦や第二次大戦があって、原稿が危機に直面するかもしれないという問題が起き、紆余曲折があって、それは今アムステルダムに保管されています。

――それでマルクス研究者がなぜかオランダのアムステルダムに行くわけですね。

的場――アムステルダム社会史国際研究所にはマルクスとエンゲルスの遺稿や写真・書類のほかに、欧州の労働運動史、社会思想史関係資料が所蔵されていますから、世界中の研究者が多く訪問しています。『ドイツ・イデオロギー』の編集や読解については、リャザーノフ版とアドラツキー版の異同が最初の問題でした。当時通常使っていたのは古在由重訳です。『ドイツ・イデオロギー』のフォイエルバッハに関する部分がとりわけ問題となりました。「フォイエルバッハ論」のアドラツキー版の編集が恣意的ではないかが問われました。古くから言われていたようですが、１９６０年代に議論が表面化します。

廣松版が出たのはそうした議論の問題提起でした。とてもマニアックな話と受け止められるかもしれません。何が問題かというと、ここに出てくる唯物史観、分業や交通という理論の展開が、編集次第によって変わってくるんです。それとマルクスが書いたのか、エンゲルスが書いたのかによっても、マルクスの主張とはいえなくなります。

――唯物史観の考え方が異なると言うのは、基本的な世界観そのものに影響します。

的場――だから本物の原稿通りに編集すべきだという議論が出てきた。ただ編集問題の議論だけではなく、それはマルクスの世界観をめぐる議論ですし、初期マルクスと後期マルクスがどう変わったのかという問題とも関係しています。初期マルクスと後期マルクスはどうつながっているのかという問題です。こういう問題ですから、ある意味ではソ連共産党のありかたなどにも関わってくる。だからソ連や東欧のマルクス主義者は神経を尖らせたのです。

編集問題といえば『経済学・哲学草稿』にもその問題があります。『経済学・哲学草稿』の編集は『ドイツ・イデオロギー』よりもさらに手が加えられていたといえるかもしれません。とりわけ第一草稿の労賃、資本の利潤、地代は、三つに分かれて並行的に書かれているのですが、編集ではその順序で編集されました。

――１９８１年度の山中隆次ゼミでは、『経済学・哲学草稿』を岩波文庫版の順番ではなく、マルクスの草稿の順番に引き戻して読解する作業をしていました。と言っても、山中教授と、その門下の大学院生が1人です。このお2人が非常に専門的な話をしている。私は横に座って、それを聞いているだけでした。私は当時、廣松渉の著書を読み漁っていて、『ドイツ・イデオロギー』編集問題もいちおう知っていましたから、山中教授たちが『経済学・哲学草稿』編集問題の議論をしているのを聞いて、とても興味深かったのですが、なかなかついていけないところもありました。私はマルクス・エンゲルスの原稿そのものを見たことがありません。具体的なイメージがわかないんです。

的場――マルクスのノートというのは、結構綺麗なものなんです。『経済学・哲学草稿』も『ドイツ・イデオロギー』も綺麗なものです。マルクスの使う用紙はA4サイズよりもちょっと長いものなんです。今はそんな紙はありません。A4とかA5とかありますけど、もう少し長いですね。

マルクスは細長い紙を使っていまして、これに書いてるんですけども、実は『ドイツ・イデオロギー』について話をする時に、マルクスとエンゲルスがそれぞれ書いた順番も見る必要があります。というのも、マルクスが書いた後にエンゲルスが加筆する。あるいは、そこにマルクスがふたたび加筆している形になっていて、要するに共同作業なのです。それはマルクスたちが当時同じアパートに住んでいたからです。原稿を書き上げたのに出版できなかったため、後に『経済学批判』序言で「原稿をネズミどもがかじって批判するがままにさせておいた」と言っているのですが、実際はそんなに痛んでいません。

原稿の成立過程も見ておく必要があります。マルクスとエンゲルスが中心になって書いたわけですが、他の人の手も入っている可能性があります。ヘスやヴァイデマイヤなどは当時マルクスと仲間であり、バウアー兄弟を批判していました。だから一緒に議論して、誰かが書いている。エンゲルスが書いた箇所も多いのですが、誰の考えを書いたのかという問題もないわけではない。これもマニアックな話ですね。とてもマニアックだけども研究者は執筆部分の特定を厳密にやってみようと考えます。マルクソロジーなら徹底追及するしかない。それで『経済学・哲学草稿』にも編集問題がある。特に第1草稿です。『経済学・哲学草稿』は第3草稿まであります。これはノートともいえるものです。ノートの中に「ミル評注」というのがあります。

岩波文庫版に入っていないのですが、例えば、山中さんはこの評注を第2草稿の一つと見ている（山中訳は『パリ草稿』（御茶の水書房、２００５年））。これは山中さんの慧眼だと思います。編集問題だけではなく、『経済学・哲学草稿』の不完全な部分っていうのは、原稿が途中で切れています。特に第2草稿はひどい。

そもそも第一草稿について言えば、ノートを三つに分け、左に「労働─労賃」の項目がある。でも右側と横並びになっているので、労賃が最初に書かれているというわけではないのです。どちらが先かではなく横並びです。「労賃」、「資本の利潤」、「地代」のどれが先というわけではない。出版する際に「労賃」を先にしてしまうと、元の草稿の意味とは異なることも出て来る。この三つに分かれた項目の後に、「疎外された労働」が出てきます。その前後関係をどう読み解くかで、思想内容が変わることもありうるんです。ですから、元々書いた草稿なので不完全ですけれども、それを元のノートの形に戻すべきだ。元通りの形で出版した方が良いということになりました。私は山中教授の紹介を受けて、ユルゲン・ローヤンさんというアムステルダム社会史国際研究所のドイツ人研究員のところに行ったんです。ローヤンさんは１９８３年に『経済学・哲学草稿』の編集についての論文を書きました。それを社会史研究所の雑誌に載せて、それを山中さんが岩波の『思想』で日本語に翻訳しました。ですからこの問題は実は山中教授、ローヤン、そして私の研究とも関係しています。

その上で議論されたのが疎外論の意味の問題があります。疎外論から物象化論になったのかどうか、疎外論が一旦消えたとすれば、疎外はマルクスの関心事ではなくなったのかどうか。疎外という概念自体、マルクスの考えから消えていったと見る考えもあります。

――1980年代には「疎外論から物象化論へ」という議論が華やかだった記憶があります。

的場――「疎外論から物象化論へ」という発想でマルクスを考え直すと、それまでマルクスが追い求めてきた思想――唯物史観や歴史的な発展の法則というものが、それだけの問題でなく違う要素を含んでいたことになるので、マルクス主義を解釈する時にまったく違う形で解釈できることになります。それが初期マルクス研究の意味です。初期マルクスとは主に『共産党宣言』以前で、『経済学・哲学草稿』（1844年）、『聖家族』（1845年）、『ドイツ・イデオロギー』（1845～46年）、『哲学の貧困』（1847年）、『共産党宣言』（1848年）という流れで、どこでどう変化したかが議論されます。マルクスの思想形成過程をただ追いかけるという関心だけではなく、ソビエト社会主義国が陥ってる様々な問題点、権威的社会主義の問題点をどう理解し、それをどう克服するのかという問題を明確にすることを伴います。

私の指導教授の遊部久蔵さんは価値論研究の大家でしたが、「疎外論から物象化論へ」という議論には積極的ではなくて、廣松渉の議論にも距離を置いていたと思います。若手の院生は廣松理論の影響を受けるんだけど、遊部さんはそれを評価しない。そこには世代が違う面もありました。遊部さんの世代は戦中世代ですから、戦後の資本主義世界の問題は、もっぱら貧困でした。しかし私たちの世代の方は豊かになっていたので、貧困よりも疎外だったのです。その頃は田舎から出てきて学生が陥る諸問題は貧困よりも、人間としての都会の疎外の洗礼を受けることで、人間疎外の問題に移ってきた。関心は時代の趨勢《すうせい》で変化します。そういう意味で世代間の格差という、当たり前の変化だったのかもしれません。だから戦後生まれの世代は初期マルクス研究に相当入れ込んだとも言えます。

――私は山中ゼミを1年だけ履修して話を聞いていただけですが、廣松渉の著作は随分と読みました。今や廣松渉もさほど知られていないかもしれません。１９７０～80年代の日本の思想界では、マルクス研究だけではなくて、あの頃みんなが熱中して読んでいたのは『世界の共同主観的存在構造』（勁草書房、１９７２年）とか『事的世界観への前哨』（勁草書房、１９７５年）です。さらに『弁証法の論理』（青土社、１９８９年）や『存在と意味』第1巻（岩波書店、１９８２年）第2巻（岩波書店、１９９３年）などを書いて、１９９４年に亡くなった哲学者です。当時、大変影響力が強かった日本の思想家です。

初期マルクス研究や、世界観・認識論の刷新や、〈近代の超克〉論や、いろんなことをやってました。どの分野でも非常に優れたお仕事をされたので、今でもお弟子さんというか影響を受けた研究者は全国にたくさんいます。『廣松渉著作集』（全16巻、岩波書店、１９９６～97年）がまとめられています。

運動家としてのマルクス

――『共産党宣言』のマルクスは「運動家としてのマルクス」と言って良いかと思います。「俗流社会主義」

批判、プルードン批判をはじめ、先行者、先達に学びつつ、激しく挑みかかるマルクスの「運動家」としての一面をお願いします。

的場——これまで述べたようにマルクスにはジャーナリストの側面がありますが、文筆だけで生きていたわけではなく、社会運動に積極的に加わっていました。プロイセンで新聞雑誌などの出版が困難になったこともあり、彼はルーゲとともに『独仏年誌』を編集するためにパリに行きますが、ちょうどその頃、イェニー・フォン・ヴェストファーレンという貴族出身の女性と結婚します。

『ライン新聞』はケルンで刊行されていました。ケルンはラインラントでプロイセンよりも経済的に発展していた地域だったのですけれど、イギリスやフランスに比べればそれほどでもなかった。当時のドイツといえば、イギリスやフランスに比べたら工業もまだ弱く、プロレタリアートと言われるような人たちはあまりいませんでした。だから工場も小さい。エンゲルスがいたヴッパータールは、ちょっとした綿糸工場がありましたが。

パリに移ったマルクスは、そこで工場労働者たちに出会うのです。パリには近代的な労働者がいたわけです。もっともパリのドイツ人の多くはまだ職人ばかりでしたが、ドイツとはかなり違いました。パリでいろんな運動と接触します。その中でドイツ人の職人たちが作っていた様々な秘密結社があったんです。秘密結社というのは、当時結社はシャプリエ法で、禁止されていましたので、表には出ることはできません。そうした秘密結社がパリという狭い町に集中していました。

マルクスはそういう社会主義者や共産主義者といわれる人たちと交流することで、自分がやろうとしてることを見つけていきます。それまではヒューマニスト的ジャーナリストにすぎなかったのです。まだ観念論的な、かくあるべしという定言的な発想で人間の自由や理性を考えていました。やがて現実の問題、労働者の問題と直面して変わります。パリに行って現実に直面します。現実的な問題に直面してドイツ人やフランス人の社会主義者たちと直接交流し始めました。そうすることによってドイツの職人の運動とも接触する。とはいえまだ本格的ではありません。何か目立った行動をやったわけではない。１８４３年から45年２月までは。

　本格的に共産主義者となるのはその後なんですね。彼はパリからやがて追放されます。その理由は、『フォアヴェルツ』というドイツ人の新聞に関係していたからです。フランスでは、プロイセンのように直接の検閲はありませんでした。しかし新聞を発行するには高額の抵当金を払う必要がありました。それで急進的な新聞は発行できなかったわけです。この『フォアヴェルツ』も抵当金支払いの未納ということでその編集者が逮捕され、廃刊になるのですが、実際は彼等の記事がプロイセン政府にとって危険だと考えられたからです。マルクスも書いているのですが、さかんにプロイセン批判をやったことで、プロイセン政府が、彼等の追放をフランス政府に頼んだわけです。

――マルクスの思想は時期による変遷、読んだ著書からの影響とともに、どこにいて、誰と一緒だったかも重要です。

的場――１８４５年に追放令を受け、マルクスはブリュッセルに行きました。そこではじめてマルクスは自らを共産主義者と言うようになります。マルクスはヘスやエンゲルスなどと党派を組み、当地のドイツ人労働者のみならずベルギー人の運動とも関係していくのです。ベルギーでは政治活動を禁止されたのですが、１８４７年になると共産主義者通信同盟や共産主義者同盟、そして民主協会や労働者協会との関係を持ちます。公の部分ではマルクスは民主主義運動の活動家となり、その裏で共産主義者、社会主義者の運動とつながりを持ちます。この運動はクロスしていました。表では社会主義者や共産主義者の運動は見えないわけです。

マルクスが表で交流する場は民主協会という、民主主義者の協会です。この協会は主にフランドル独立運動とポーランド独立運動を行っていました。当時ポーランドはロシアによって分割され、存在していませんでした。ベルギーもワロンとフランドルに分かれていたのですが、ワロンのフランス人が政治を支配していたために、フランドル語圏の人々は独立を要求していました。

その民主協会の裏に存在したのがドイツ人の労働者協会です。メンバーは民主協会とクロスしています。ここでマルクスは様々な社会主義運動、共産主義運動と関係する。その一つが、後に『共産党宣言』を書くことになるイギリスで誕生した共産主義者同盟なんです。共産主義者同盟というのは、１８３９年、フランスから追い出された義人同盟の人たちが作った組織です。１８４７年にロンドンに生まれた新しい組織で、イギリスは当時、結社の自由があったんです。フランスは結社の自由がなかったので全部秘密結社でしたが、イギリスでは堂々と結社をつくることができたからです。ロンドンに行って、それまで義人同盟という名前を名乗っていた共産主義的組織を堂々と表舞台に出そうと共産主義者同盟をつくります。

共産主義者同盟の設立のとき、その綱領が問題になりました。綱領をどうするか。それで最終的にマルクスが書き上げたのが、１８４８年の『共産党宣言』なのです。いつ出版されたか特定できないのですが、１８４８年２月末から３月の頭には出版されたといわれています。つまり『共産党宣言』はマルクスの個人論文ではなくて、共産主義者同盟という組織の綱領なんです。共産主義者同盟は会員数が400~500人の組織で、ヨーロッパ中から参加していましたが、主力はドイツ人でした。マルクスはこの労働者の組織を、知的な戦略において乗っ取ったともいえます。その多くは職人でしたので、正確にいえば職人団体です。

その時、共産主義者の間では理論闘争が行われていました。マルクスはバウアー兄弟のような真正社会主義者のみならず、職人の中で力を持っていたヴァイトリンクやハインツェン、クリーゲといった人々の思想を批判し、組織の主導権を握っていきます。批判された側はマルクスの敵になります。共産主義者同盟のシャパーがマルクスとエンゲルスを入れたことで、こうした人々の多くは同盟を辞め、アメリカに渡って行きました。もちろん彼等の側からマルクスを見ると、マルクスはとんでもない人物です。マルクスの敵から見たマルクスというものを見ることも、かなり重要です。マルクスはとてもエゴイストで仲間意識が強く、常に一部の仲間とつるんで活動します。そしてとても傲慢で攻撃的です。やり方も少々荒っぽい。敵から見れば卑劣なマルクスに見えます。組織の主導権をどう取るか。マルクスは全体集会では絶対数において負けるので、職人が多数を占める組織を牛耳るには策を弄する必要がありました。そこで中央執行委員会に目をつける。中央執行委員会で多数派になってそこを牛耳って、全体の総会も押さえていくやり方を得意とした訳です。

後に第一インターナショナルでも同じことをやります。共産主義者同盟は一旦崩壊します。その約10年ぐらい後にイギリスで、労働者を国際的に組織しようというインターナショナル（国際労働者協会）ができるんです。イギリスとフランスの労働者を集めた組織ですね。その時、フランス、イギリス以外の労働者も入れて組織しようということになり、マルクスが入ってきます。そこで彼は書記長になります。書記長になると、中央委員会を牛耳ることができます。

例えばマルクスは年に1回総会を開くと規定に書いてあるのに、総会を開かない。総会決定事項なのに、ロンドンの中央執行委員会で全部決めていく。そして次の大会が迫ると「次の大会は都合によりできなくなりました」と言って、開かない。組織の執行部内にマルクスの仲間たちを入れるためにいろいろと画策する。それに反対するメンバー、地方や他の国の人たちを巧みに排除する。即座にあちこちから文句が出てきます。なんで大会を開かないんだ。なんで労働の執行委員会だけで勝手にやったんだって。仕方なく大会を開かざるを得ないけれども、できるだけ開かずに済ます。

パリ・コミューンの後の1872年、とうとう開くことになります。しかし批判が高まる。バクーニン派が乗り込んでくると、大会で主導権を握り続けることが難しくなる。そこで中央執行委員会で画策します。第一インターナショナルの次の大会をニューヨークに持っていく。いきなりニューヨークで開くと言われても、ロンドンからニューヨークへはものすごく遠いわけです。当時は船で大西洋を渡る必要があります。誰も行けないってことなんです。これでインターナショナルは終わります。

ですからマルクスは運動家ですが、反対する勢力から見れば「謀略家」です。だからあまり人気がない。ところが一部のメンバーはお仲間ですから、それでまかり通る。マルクス、エンゲルス、その仲間たちです。仲間たちの欠点はマルクスのわがままを「崇拝」してしまったことにあります。マルクスはいろんな運動に関わりましたが、運動家として彼を見た場合には、結局失敗した活動家としか言いようがないでしょう。それはバクーニンが言っています。マルクスは理論家としてはとても優れた、天才的な理論家ですが、運動家としては失敗しました。

今、私は自分の最後の仕事としてマルクスの伝記を書こうと思っています。とても長い伝記になります。重要資料を入れますので。資料が多すぎても書物としては困ります。読み物として売れる本でないと出版できないので、どこまでコンパクトにするかが悩みどころです。ただ、できるだけ生の資料を使いたい。単なる欧米の伝記の翻訳ではなく、しっかりと資料を見たオリジナルなものにしたい。それが次の世代に意味を持つことを期待したいと考えています。誰が見てもわかりやすいものであると同時に、みんなが知らないようなこと、フランス人も知らないようなこともそこに入れておきたい。一般の方にも読んでほしいのですけど、基本はプロ向けというか、将来のために書いておきたい。だから厚い本になります。3冊で1500頁に収まれば良いんですが。

――1500頁ですか。とんでもない分量ですね。私の一番厚い本が『ヘイト・スピーチ法研究序説』で800頁です。その後の『ヘイト・スピーチ法研究原論』『ヘイト・スピーチ法研究要綱』を加えて、3冊で1700頁です。最初から1500頁なんて言うと、どの出版社も出版してくれません（笑）。

プルードンとマルクス

――マルクスとプルードンについて伺います。従来、ピエール＝ジョセフ・プルードン（1809～1865年）は「マルクスに批判されたプルードン」として位置づけられることが多かったのに対して、的場さんは「プルードン自身の思想と論理に光を当てました。「プルードンから見たマルクス」を通して、的場さんが描こうとした思想地図を簡潔にお願いします。

的場――プルードンが重要なのは、何といっても、あらゆる意味でマルクスの度肝を抜き、マルクスにショックを与えた人物だからです。彼の最大のライバルといっても良いでしょう。

マルクスは最初は経済学を勉強していませんでした。哲学専攻で、哲学博士でジャーナリストとして世に出ます。哲学論文は「ユダヤ人問題に寄せて」（1843年）や「ヘーゲル法哲学批判序説」（1843年）ですね。現実に向き合おうとしていましたが、思弁的な論文を書いていました。マルクスが何で経済に興味を持ったかというと、プルードンが、社会主義者、共産主義者の中で初めて社会主義や共産主義の運動のためには経済学が必要だと提唱したからです。その模範を示してみせたんです。

まずは『所有とは何か』（1840年）という書物です。それまでの共産主義者と言えば、どちらかというとユートピア的な未来を書く人が多かった。共産主義になったらこんな素晴らしい社会になるとか、現代の貧困問題はひどいので、これは許せないとか言って立論しますが、基本的に現実の社会を批判するのだけれど、具体策のないユートピアです。

いかにして今の資本主義が問題なのかをしっかりと説明する必要がある。それをしっかりと経済という観点から分析する社会主義者、共産主義者はいなかったのです。例えばリカード派社会主義者という人たちがいますが、彼等はリカードの労働価値説を支持し、労働価値説の上で、労働者は自らの生み出す価値を取られているということを展開しますが、彼等のような人はフランスにはいなかったのです。

それをやるには経済学が必要です。当時、フランスで共産主義や社会主義を展開した人々はユートピア的だったり、道徳的であったり、観念論的であったりする訳です。それでは具体的な運動が展開できない。そういう中、プルードンは経済学的な発想で社会の矛盾を分析してみせたのです。「所有とは何か。それは盗みである」というのがプルードンの提起でした。所有とは盗みだ、なぜ盗みなのかというと、これは労働者の働いた分を盗んでいるからだ。これを集合労働力という論理で説明するんです。これは一種の剰余価値論です。剰余価値を彼は見つけたわけです。もちろん剰余価値を誰が見つけたということは些末な議論かもしれません。

しかしマルクスはこれを見て、プルードンはすごいと理解した訳です。マルクスは『経済学・哲学草稿』で述べているのですが、先ほどの「疎外された労働」の最初の部分なんです。「疎外された労働」を見ると、これまでの国民経済学者は、所有というもの、私的所有というものを、普遍的な概念のように見ていた。あたかも当然のごとく前提にしていた。この所有それ自身が問題なんだとマルクスは批判するのです。これを前提にすることがおかしいと喝破した人物こそプルードンなのです。

プルードンによって発見されるまでは気がつかなかった。国民経済学者が、近代の社会制度である資本主義制度を永遠のものだと思っていたのに対して、それは永遠ではない。私的所有制度はこの時代の特殊な制度で、この制度自体は歴史的なものだとプルードンは批判したのです。所有制度というものを前提としなかったら、アダム・スミスもリカードも成り立たないと見抜いたのがプルードンです。

マルクスはこの論理にとてもショックを受けました。そこでマルクスはプルードンに接近しようと思ったのです。当時、マルクスはパリにいたのですけれど、プルードンはリヨンに住んでいました。マルクスは『聖家族』（1845年）ではプルードンをべた褒めしています。ところが、なぜかプルードンを批判する『哲学の貧困』（1847年）を書くことになります。そこで二人は決裂することになります。

マルクスとエンゲルスはブリュッセルで、1846年、自分たちで共産主義者通信同盟という組織をつくります。これは各地域の共産主義者を手紙によって結ぶ組織で、フランスではプルードンを仲間にいれようと考えていました。それでプルードンに手紙を書きます。しかしプルードンの返事は冷たいものでした。マルクスが党派組織を作ることに反対し（それは1517年の宗教改革のルターが、その後権威主義的頭領になってしまったことと似ていると例えます）、またカール・グリュンというプルードンの知り合いを批判していること（グリュンはほら吹きで、売文家であるという）を問題にし、参加を断ってきます。ブリュッセルにいたマルクスはその批判に怒り、二人の関係は決裂し、永遠の敵へと変貌していきます。

――マルティン・ルター（1483〜1546年）はドイツの宗教改革者、神学者で、権威であるカトリックに対して革命を起こしました。その際、新たな権威を作る。権威主義的な組織を作ったわけです。マルクスはルターがやった失敗を繰り返そうとしているのではないか。

的場――マルクスは新しい社会を作ろうと言っているけれども、新しい権威主義的世界を作ろうとしているのではないかと、プルードンは批判するのです。プルードンは『貧困の哲学』（1846年）という2巻本の著作――正確には『経済学の矛盾の体系、または貧困の哲学』ですね、これを出しました。

これに対してマルクスはすぐに猛烈な批判を書きます。その批判のタイトルがなんと『哲学の貧困』（1847年）なんです。タイトルをひっくり返して揶揄した訳です。わざわざタイトルをひっくり返して、本にした。『貧困の哲学』は当然フランス語で書かれています。マルクスも『哲学の貧困』をフランス語で書いたのです。マルクスもフランス語はできましたけど、ギムナジウムの卒業試験の成績を見ると、堪能とはいきません。むしろ、ちょっと危ない。フランス語のできる友人がいたので、翻訳してもらって、それをチェックして出したのが『哲学の貧困』です。

ただ『貧困の哲学』を全部読んだわけではなく、その中の2ヶ所に絞っています。方法論と価値論です。ここだけに焦点を絞って、あとは斜め読みして批判したものです。

批判されたプルードンはマルクスの『哲学の貧困』を読みます。そこに書き込みをしています。私はそれを調べました。プルードンの出身地ブザンソンに行きました。ブザンソンの図書館に、マルクスが送ったのか、どこかで買ったのか、『哲学の貧困』があります。そこにプルードンが書き込みをしています。それを私は『新訳　哲学の貧困』（作品社）の中で翻訳しました。私はマルクスの書物を翻訳する時、必ず批判された側の作品も翻訳します。マルクスの主張だけを見るのではなく、批判された側の主張も見る。プルードンの反論を見る必要があります。例えば『共産党宣言』も、マルクスやエンゲルスの主張だけを読んでも本当のところはわかりません。

――『共産党宣言』の翻訳には驚きました。的場さんが翻訳した『新訳共産党宣言初版ブルクハルト版』（作品社）を初めて手にした時に「嘘だろ」と笑ってしまいました。なんと４７０頁もある。大内兵衛訳の『共産党宣言』は岩波文庫で１１６頁ですよ。なんで４７０頁もあるのか。

開いてみると、最初の23頁が宣言の翻訳です。第二編は長い長い解説です。凄いのが第四編で、関連する同時代の重要資料が10点ほど翻訳・収録されています。デザミ『共同体のコード』、カベー『イカリーへの冒険』、ブラン『労働の組織』などを対比して読まないと、『共産党宣言』の同時代史的意味が分からないという訳です。的場さんが「全部、読め。どうだ、わかったか」と睥睨している感じでした（笑）。

的場――基礎知識なしに『共産党宣言』だけを読んでも、時代背景も論争の文脈も理解できません。最低限の基礎知識は持ってもらいたい。それが学問なんですよ。『共産党宣言』だけがすごいと思わないために、しっかりとその周りの作品も調べて、客観的に解明する作業が不可欠です。これは私たち学者の仕事できちんと調査して、必要なものと不必要なものを振り分けて、最低限必要なものを提供する。少なくともそれらを踏まえて議論しましょうと言うことです。

マルクスとプルードンとの相違をポイントだけ言いますと、2人の決定的差異はまずプルードンには歴史についての感覚がないことです。おかしいですよね。私的所有のない社会について語って、私的所有をなくすと言うんですけど、おかしなことに歴史というものを考えていません。歴史には永遠のものがあって、時々変わっていくぐらいの歴史認識しかないため、歴史観としては貧弱と言わざるを得ません。これは方法論上の問題ですね。

もう一つが価値論です。そこで問題となるのが引用です。プルードンはいわばパクリが得意なんです。彼は引用の出典が不明確です。それでは批判しようとする人も、これがどこに書いてあるか見つからない。プルードンの本は発想は良いが、かなり誰かの本のパクリがある。だからこの本は読むに値しないと批判されてしまう。マルクスはこういう批判をプルードンに突きつけるわけです。『ドイツ・イデオロギー』でもそうでしたが、引用方法を批判する。厳密に言えば、パクリだというのは一部当たっているんです。例えばリカード派社会主義がすでに言ったことを繰り返しているという批判があります。しかしプルードンは英語ができない。マルクスは英語ができるから、そのことがわかるが、プルードンは自らの発想の根源を理解できていないとやるわけです。

マルクスの批判は当たっていますが、プルードンにとってそれは言いすぎというものかもしれません。職人であり、また学校も出てない。独学で本を読んで書いているような人物です。この批判は無理とい

＜的場昭弘『新訳共産党宣言初版ブルクハルト版』目次＞

第一編　『共産党宣言』初版ブルクハルト版（1848 年 23 頁版）

第二編　解説編

第一章　ブルジョワとプロレタリア
第二章　プロレタリアと共産主義者
第三章　社会主義と共産主義の文献
1　反動的社会主義 a 封建的社会主義／ b プチブル的社会主議／ c ドイツあるいは真正社会主義
2　保守的あるいはブルジョワ - 社会主義
3　批判的 - ユートピア的な社会主義と共産主義
第四章　共産主義者のさまざまな対立する党派に対する立場

第三編　『共産党宣言』序文

第四編　資料編

資料編解説

テオドール・デザミ『共同体のコード』〔抄訳〕（1843 年版）
エティエンヌ・カベー『イカリーへの冒険』〔抄訳〕（1848 年版）
ルイ・ブラン『労働の組織』〔抄訳〕（1850 年版）
フローラ・トリスタン『労働者連合』〔解説と抄訳〕（1844 年版）
コンシデラン『社会主義の原理―19 世紀における民主主義宣言』〔解説と抄訳〕（1847 年版）
『共産主義者の信仰告白』草稿（1847 年）
エンゲルス『共産主義の原理』（1847 年）
『共産主義者同盟規約』（1847 年 6 月に起草された共産主義者同盟の規約）
イェートレック『プロレタリア階級と真の共産主義による彼らの解放について』（1847 年）
『共産主義者雑誌』1 号（1847 年）
「市民カベーの移民計画」（1847 年）
ヴィクトル・テデスコ『プロレタリアのカテキズム』（1849 年）

第五編　研究編

第一章　フランス社会主義と『共産党宣言』

第二章　『共産党宣言』とは何であったのか

第三章　『共産党宣言』とブリュッセル

第四章　『共産党宣言』の出版史

うものです。マルクスは大学卒で、しかも大学教授を目指していたわけです。

批判しているマルクスも実は引用の間違いはあるんです。あの時代、文献の引用の不正確さとか、頁数の違いとか、誤字とか言い出せば珍しくも何ともありません。『哲学の貧困』もMEGAや新MEGAの編集を見れば、引用元が見つからないのも多々あります。本当に見つからない。

ちなみにマルクスは『哲学の貧困』を母国語で書くべきだった。外国語で書くとなると、相手にカチンとくるような、レトリックをつかったパンチが出ない。プルードンのフランス語は母国語ですから、それができるんですけども。

マルクスはその後もずっとプルードンを批判します。『哲学の貧困』以降も、ことあるごとにプルードンが書いたことについて常に気にします。1865年、プルードンが亡くなりました。その後もマルクスは批判を続けます、そのためかマルクス主義の世界ではプルードンには「マルクスの敵」だという烙印が押されたままです。プルードンはダメだとなる。だからプルードン研究をしてはいけません。プルードン研究をすると大変なことになりました。日本でもそうでした。プルードンについて語ってはいけない。そうなってしまいました。

――批判されたプルードン、克服されたプルードンというイメージがあまりにも強かった。

的場――実はマルクスとプルードンはある意味相似形なのです。ちょっとずらせば同じようなことを言っていた。その典型的なものが未来社会についてです。それはアソシアシオンです。未来社会では国家は死滅する。共産主義社会のイメージとしての青写真はそんなに違ってはいなかったのです。その意味でプルードンは魅力的であったわけです。

私的所有を廃し、中央集権主義を克服して、企業や労働を水平的に結ぶような将来社会を構想するという考えは実はマルクスのものです。しかしこれは言ってしまうとプルードンなんです。同じような問題を巡って、お互いが議論し合ってたどり着いた。ですから二人の人物が一緒にこの問題を議論したらどうだったのだろうかと考えてしまいます。そしたら何か良いものが出てきたのではないのかと考えられます。私たちは21世紀の人間ですから未来社会に対する二人の考えの中で、良いものを導き取るように努力した方が良いと思います。

経済学者としてのマルクス

――ジャーナリストと運動家に続いて、経済学者・思想家としてのマルクスについても見ておきましょう。『経済学批判要綱』『経済学批判』『資本論』へと至るマルクスは、世界を変革するために経済学批判の道を徹底していきます。学者マルクスの自己形成、方法論の特徴を見る必要があります。

私は1980～84年度、大学院経済学研究科の宮崎犀一ゼミを聴講しました。宮崎教授は東京女子大学教授でしたが、中央大学大学院で長年『資本論』ゼミを開講していました。法学方法論のために社会科学方法論の勉強が必要と考えて、5年ほど履修しました。『経済原論の方法』（未来社、1970年）、『英国経済学史研究』（新評論、1994年）の著者の宮崎教授が、法学研究者の私に教えてくれたことの一つが、経済学に純化される前の『経済学批判要綱』の方が法学研究に参考になるということでした。1990年代に『要綱』を2分冊まで読みましたが、中断したままなのが私の思い残しとなっています。

的場――マルクス研究者の有名なマクシミリアン・リュベルによると、マルクスの学問には政治学、経済学、哲学――この3つが併存していると言われます。私もそれは正しいと思います。経済学者と断定できないほど3つが結びついていました。実はマルクスは経済学というよりも「経済学批判」なんです。「政治経済学批判」です。経済学を分析しながらそれをさらに批判してるのです。『資本論』の全体のプランは経済学批判です。その最初の部分が資本一般で、この部分かどうかについてはいろいろ論争があるんですけど、経済学批判が最大のテーマです。経済学批判ですから、これまでの経済学の体系を批判していることを私たちは肝に銘じないといけない。

まずは労働価値説です。労働の価値通りの分配であれば、それが社会主義だという人がいますけども、それは違います。資本主義というものを前提にして、資本家が取っている剰余部分を労働者に分配すれば資本主義から社会主義になるのか。それでは価値そのものがなくならない。もし剰余価値の処分を国家を代表する共産党が行えば、彼等は企業家であり、それは国家独占資本主義と変わらない。共産党は企業家に代わって利潤の追求を行っていることになり、その意味では資本主義です。絶え間なく利潤を追求するという点は同じです。それを労働者が取るか、それとも資本家が取るか、それだけの違いにしかすぎない。もちろんそれも大きな進歩ではある。

このような体系、労働価値を形成している体系自体を批判しないといけない。新しい社会になったら労働価値説がなくなるという話でないと、批判にならない。

いわゆる価値法則通りに交換されることを考えたらどうなるか。価値通り交換されるとすれば、それは資本主義社会を踏襲しているだけです。利潤の配分、すなわち配分だけが違うということにすぎません。これでは不完全な共産主義です。現状の経済体系を超えることをめざすのに、それを利用しているだけである。資本主義の体系をそのままにして、分配だけが違う。これでは経済学批判の意味はリカード派社会主義と同じように、利潤の上前だけを取るということになりかねない。

資本主義社会のコントロール装置であるトップを共産党に変える。資本の運動を共産党が統制しようとする。こういう形に進むことを共産主義だと思ってしまった。もちろんこうした社会は過渡期であり、将来変わるという点においては批判であるのですが、これが永遠に続けば、まさに国家独占資本主義になってしまいます。

労働者が生産手段を所有しているではないかというのですが、労働者が自らそれを管理所有しているわけではない。国家という単位、そして党という単位が取っているにすぎない。労働者という概念が失われていった。ソヴィエトによる組織が崩壊したことで、そうした考えが消滅していったわけです。これを社会主義だと言いたくなるんですが、それだと党による資本の運動が存在していることになる。価値法則をどこかで乗り越えないといけない。そういう意味でマルクスは価値論や、貨幣論や、本源的蓄積を説明しながら、それをまるごと乗り越える社会を、いつ来るかわからないけれども、考えようとしていたということです。

マルクス主義法学を学ぶ

——的場さんの方法論の一つとして「マルクスとともに考える」ということを伺ってきました。マルクスとともに考えるためには、マルクスの思考様式を徹底解明する。そのためにはマルクスだけでなく、同時代の論争の中に位置付ける意味がわかりました。マルクスが言ったことを祖述するのではなく、マルクス的な思考方法で考える。場合によってはマルクスの方法論でマルクスを解剖してみる。そういう知的作業が必要なのだろうと思います。

私は大学院時代にマルクス主義法学も勉強しました。先ほど言及したように、山中ゼミや宮崎ゼミに少し出席しました。それは主に法学方法論のために社会科学方法論を学ぶ関心です。同様の関心でマルクス主義法学も学びました。戦後民主主義法学の分野には「社会科学としての法学」というスローガンがありました。例えば私の専攻である刑事法学は、日本では圧倒的に検察官の法理論です。刑法の解釈も刑事訴訟の手続きも、検察官の理論を裁判所が当然のごとく大前提にします。検察支配が見事に貫徹していました。「当事者主義」などと言いますが、一方当事者の検察官による検察官のための理論です。官僚法学です。それを批判するために、民主主義法学は社会科学的方法論を鍛えて、権力批判を組み立てる努力をしました。刑法のイデオロギー性を批判し、特に冤罪や人権侵害を批判する。その際にマルクス主義の権力批判が援用されます。歴史性、民主性、人間性といった視点が導入されます。

的場――マルクスの経済学に対する考え方も、その点同じであると思います。経済学が民衆のものにならねばならない。しかし実際は資本家のものになっている。価値法則はまさにその典型で、すべてが資本の論理の中で動く。前提になっている所有ということを問題にしたことは、マルクスの大きな貢献で、それはプルードンから大きな影響を受けているということです。

民衆はプロレタリアートなのですが、その中に革命の推進役として共産党が出現するが、それはプロレタリアートではない。だからこそ党ではなく、プロレタリアートが直接所有を奪取し、そこから経済学の体系を考えねばならない。そうして初めて所有を揚棄できると考えていたとすれば、国有ではなく社会的所有という意味は、労働者の積極的自主管理として出てくるというしかない。その意味ではユーゴスラヴィアのエドヴァルド・カルデリの言うような自主管理という提起は重要です。

——私の恩師を2人、紹介します。大学院の指導教授は櫻木澄和（中央大学教授）でした。近代刑法の民主性と階級性の矛盾を批判し、市民法と資本主義法の関連を問う理論家でした。

　戦後マルクス主義法学の一つの代表作である野村平爾・戒能通孝・沼田稲次郎・渡部洋三著『現代法の学び方』（岩波新書、1969年）の準備に協力しています。櫻木先生の話では執筆しなかったと言っていましたが、編集段階の研究会メンバーの一人でした。私が「『現代法の学び方』は宇野理論ではないか」と問うと、櫻木先生は「当時は宇野理論を超えられなかった」と苦笑いしていました。その後、マルクス主義法学も含めて「現代法論争」と呼ばれる論争が起きました。その中心は「国家独占資本主義法としての日本法をいかに把握するか」というテーマでした。これに対して「法体系二元論」が唱えられました。日本法には憲法体系とは別に、安保法体系があり、両者の矛盾で成り立っているという視点です。私も院生時代にこれらの影響を受けていました。櫻木先生については、私の『黙秘権と取調拒否権』（三一書房、2016年）の「第7章　櫻木澄和の刑事法学」で詳しく論じておきました。

的場——資本主義社会において、法が持てる者のために有利にできているのは当然です。上部構造という言い方をされますが、資本主義社会を安定させるために、再生産として、例えば教育、メディア、文化などにおいて、資本主義社会の価値規範を教える装置が機能しています。ルイ・アルチュセールの提起した国家イデオロギー装置ですが、気づかない間にそうしたメカニズムの中に入っている。それと同時に、このメカニズムそのものが西欧の帝国主義と結びついていて、それがアジア・アフリカ支配を正当化する国際法の基準の中にも潜り込んでいます。そこをどう乗り越えていくかということも重要で、国内での資本と労働という問題と、国際社会における帝国主義諸国とアジア・アフリカという問題も上部構造の中に存在しています。

——もう1人は風早八十二（1899〜1989年）です。戦前、1930年代の日本マルクス主義法学の代表の1人です。1926年に九州帝国大学助教授に刑事法学者として就任しましたが、治安維持法批判論文のため職を追われ、日本共産党のシンパということで検挙されました。1930年代は社会政策学を構築しました。日本資本主義発達史講座第1巻『財政史』（岩波書店、1932年）、同第7巻『鉱山業の発達』（岩波書店、1933年）を執筆しています。第二次大戦後、細川嘉六らとともに社会科学研究所を創立し、民主主義科学者協会の創立に加わりました。1949年には衆議院議員となり、その後、弁護士として活躍しました。風早はベッカリーア『犯罪と刑罰』（岩波文庫、1959年）の翻訳者として知られます。また『治安維持法五十年——市民的政治的自由のために』（合同出版、1976年）、『国民のための司法・共同研究』（共著、新日本出版社、1983年）も重要です。

私は1981年に東京刑事法研究会（主宰：吉川経夫・法政大学名誉教授）に参加しました。中心は吉川教授、風早先生、村井敏邦（一橋大学名誉教授）、足立昌勝（関東学院大学名誉教授）、新倉修（青山学院大学名誉教授）などでした。実質6年ほど、研究会で風早先生から直接教えを受けることができたのは幸運でした。後に東京刑事法研究会編『啓蒙思想と刑事法——風早八十二先生追悼論文集』（勁草書房、1995年）に論文を寄稿することもできました。

的場――現在、我が国だけでなく世界中が、資本主義の中で次第に治安体系を強化しつつある中で、風早氏などの業績はとても重要なものとなっていると思います。問題なのは、資本主義社会においては、その暴挙に反対する人々は、いかにも犯罪者であるように見える装置が機能していることです。学者も、それが大学の学界レベルでの議論に終始しているかぎり、なんの影響も与えないので、当局も沈黙していますが、そこから出ると途端に厳しい批判、場合によっては弾圧にさらされます。戦前の学者の偉さは、その中で生き抜き、真実を言い続けてきたことだと思われます。今、学者は学界の外に出なければならない時代に来ていると思います。

――マルクス主義法学は1989年のソ連東欧社会主義崩壊のため、その力を失うことになりました。同じ年に風早先生が他界され、風早先生のご自宅の蔵書整理作業をしながら時代の変化を痛感したものです。

マルクス主義法学のピークは『マルクス主義法学講座（全8巻）』（日本評論社、1976～80年）です。私が大学院に進学したのが1978年ですから、ちょうど同講座が出版されていた時期です。マルクス主義法学という名称ですが、実態は問題意識も方法論も研究対象も多様であり、一つの学問体系ではありません。当時のマルクス主義法学の顕著な特徴は、第一にソビエト法をはじめとする社会主義法研究、第二に近代法批判、資本主義法批判、官僚法学批判、第三にそのための歴史研究でした。社会主義法研究もいくつかの水脈がありました。第一にソビエト連邦の法と法学を祖述《そじゅつ》する研究です。第二に

1920年代のパシュカーニスに代表される法学研究、つまりスターリン体制とは異なる可能性の追求です。第三にオーストリア・マルクス主義法学の研究。これらの間での討論もなされていましたが、歴史的過去に属することになります。『マルクス主義法学講座』がマルクス主義法学のピークだと言いましたが、その後、崩壊していくことになります。

私自身は院生時代に研究テーマを「権力犯罪と人権」としました。近代法批判、資本主義法批判、官僚法学批判を継承しようと考えていました。それは民主主義法学の一つの特徴でしたから、マルクス主義法学の影響も受けていたと思います。それが現在まで続いています。1980年代には近代法批判、1990〜2000年代には戦争犯罪論、2010年代以後は反レイシズム研究、ヘイト・スピーチ研究に力を入れています。ただ方法論としてマルクスに倣ったとは言い難いところがあります。この数年は「植民地主義法としての日本法をいかに把握するか」をテーマに掲げてます。日本マルクス主義法学が見落としてきたテーマだからです。

もう一つの近代を見つける

――「ジャーナリスト」「運動家」「経済学者・思想家」といった視点で捉え返したうえで、マルクスという思想家を、今、あらためてどのように位置づけることができるでしょうか。

的場――反近代という言葉があります。近代の反対という意味ですが、昔に戻るという懐古趣味ではありません。むしろもう一つの近代を見つけるという作業です。マルクスは19世紀に支配的になる西欧型資本主義を批判したのですが、それは一つの近代でした。市民社会の形成や人権や民主主義はそれなりの貢献をした。しかし一歩西欧を出れば、そのおかげで植民地支配による非民主主義、非人権がまかりとおり、西欧においても労働者はそこから排除されていた。マルクスはそうした近代にたてついたというわけです。

共産主義運動は、資本主義が果たせなかった労働者の欲望を充足することではなく、資本主義の中にある、収奪と差別を乗り越えることを意味していました。だからこそ一国での労働者の豊かさが他の国の搾取の結果であれば、それは共産主義ではない。共産主義は資本主義にとってかわらなければならない。そうすると資本主義体制そのものだけでなく、西欧のキリスト教文明すべてにいたる批判を行わねばならなくなります。だからこそマルクスは資本主義社会に問題がある限り、いつも呼び戻される思想家なのです。それは西欧だけでなく、アジア・アフリカの人々にとっても意味のあるものです。それは今を乗り越える力を与えてくれるからです。

――「的場マルクス学」は社会史研究から始まり、マルクスの全体像を描き出す様々な試みを経て、主要著作の訳し直し作業をはさみながら現在に至っています。最近の「世界史」への挑戦は、マルクスが歩んだ道の辿り直しと、その延長となっていますが、的場さんの着地点は見えて来たでしょうか。

的場――私はもともと学問に体系をつくろうなどとは考えていません。20世紀に生まれた人間として、すべてを納得して死にたいということです。要するにマルクスのようになんでも納得するところまでやりたいということです。納得できないことは認めない。納得できるまでとことんやるということでこれまで生きてきました。世界史についても、ジャーナリスト的批判も、マルクスに学べば自ずと出てくるものです。学問という意味ではなく、生き方です。

第三章　待ち望む力——科学もユートピアも

――的場さんの著書『待ち望む力』（晶文社、２０１３年）のサブタイトルはとても長くて「ブロッホ、スピノザ、ヴェイユ、アーレント、マルクスが語る希望」です。出版当時、これはちょっと異色かなという印象を受けたのですが、そうではなくてやはり的場さんの研究全体の中でしかるべき位置にあると言えます。

「科学もユートピアも」――こちらはすぐにピンとくると思いますが、エンゲルスの『空想より科学へ』（１８８０年）を少し変えたものです。最初は「科学から空想へ」というタイトルを考えたのですが、すでに石井洋二郎著のフーリエ論が『科学から空想へ』（藤原書店、２００９年）として出版されています。

日本では「科学的社会主義」という言葉があります。現実政治のレベルで具体的にそれを標榜してきた政党があって、政党の政策が科学的であるとされてきました。科学的であるとは何であるのかは政治の文脈でもいろんな議論がなされてきました。国際的にもいろんな議論があるようですが、科学的であると同時にユートピアを考える――両方を射程に入れながら現在および将来の世界を考えてみます。的場さんはマルクス学を追求すると同時に、マルクスが批判し乗り越えようとした諸思想の研究を続けてきました。『空想より科学へ』を踏まえつつ、科学もユートピアも見据えながら将来社会構想――資本主義の終わりを考えてきました。

的場――『待ち望む力』（２０１３年）は10年前に出した本です。マルクス研究ではなく――マルクスも出ては来るのですが、ブロッホやスピノザ等のユダヤ人の思想家が語った、それぞれの時代から見た将来社会像です。私はユダヤ人についても研究してきましたので、これもマルクスの研究と深く関係しています。マルクスを論じる場合、多面的な考察が必要ですが、例えばそれ以前の経済学や哲学をいかに乗り越えようとしたか。あるいはプルードンとマルクスの関係に見られるように、社会主義、共産主義の思想史におけるマルクスを考える必要がある。さらには非ヨーロッパというか非近代というか、ヨーロッパ的ではないものをマルクスがいかに把握していたかも考える必要がある。

その流れの中で、ユダヤ教も非常に重要な位置を占めています。マルクスはユダヤ教のラビの名家です。マルクスの中にもその痕跡がある。ユダヤ教の人たちの未来像とはどのようなものだったか。私は『ネオ共産主義論』（光文社、２００６年）という本も書きました。これもマルクス研究の一環であると同時に非マルクスの共産主義研究でもあります。それはマルクスの共産主義思想の源流を知る仕事です。

私は大学で「社会思想史」という講座を担当しています。この研究はその講座で取り上げた人物です。「社会思想史」を履修する学生に聞いてみると、共産主義者にはいろいろな思想家がいますが、一体それがどうつながっているのかをほとんど知りません。マルクス・エンゲルスの名前は知っていても、他の論者・運動家とどういう関係なのか知られていないのは無理もありません。みんなが知っているのは『共産党宣言』くらいです。

運動家や研究者は『共産党宣言』を読むことはあっても、そこで批判されている側の文献はほとんど読みません。マルクスが誰かを批判すれば、その通りに受け止めて、同じ批判をして済ますわけです。批判された人たちの本を読んで、何を言っているのかを確認する人はいない。これは政治的党派の仕事としては良いとしても、研究方法としては正しくない。この作業をきちんとやっておかないといけない。そうでないとマルクスの思想の意味もわからないのです。それで私は『新訳共産党宣言・初版ブルクハルト版（１８４８）』（作品社、２０１０年）を出したのです（本書１１５頁の目次参照）。

誰がどんなことを考えたのか。それをマルクスはどう受け止めたのか。どう批判したのか。それはとても時間のかかる、とても細かい作業なんですけど、それをやっておかないといけない。その過程で取り組んだのが『ネオ共産主義論』です。

西欧では共産主義や社会主義という言葉にはそれなりの歴史があります。マルクス・エンゲルスが言い出した訳ではありません。共産主義や社会主義という言葉がどうやって生まれて、どう使われて、いつ頃から多くの人たちがこう語るようになったのか。これを遡って解明する作業が必要です。

――ユートピアにも多様な系譜があります。主なものは、トマス・モア（１４７８～１５３５年）『ユートピア』（１５１６年）、トンマーゾ・カンパネッラ（１５６８～１６３９年）『太陽の都』（１６０２年）、ジョナサン・スウィフト（１６６７～１７４５年）『ガリヴァー旅行記』（１７２６年）、ルイ・セバスティアン・メルシエ（１７４０～１８１４年）『２４４０年』（１７７１年）、マルキ・ド・サド（１７４０～１８１４年）『ソドムの１２０日間』（１７８５年）。

的場――シャルル・フーリエ（１７７２～１８３７年）『愛の新世界』（１８１６～18年）、サミュエル・バトラー（１８３５～１９０２年）『エレホン』（１８７２年）、エドワード・ベラミー（１８５０～１８９８年）『顧みれば』（１８８０年）、ウィリアム・モリス（１８３４～１８９６年）『ユートピアだより』（１８９０年）もあります。

最初にユートピアを使ったのは誰で、どういう意味だったのか。トマス・モアの『ユートピア』に始まったのですが、Utopia は「U と Topia」、すなわち「ユートピア」「理想郷」「桃源郷」など多様な訳があります。この世に存在しないものを意味する言葉です。その後、多様なユートピア思想が登場しますが、私は時間軸で未来を考える思想と、水平軸で未来を考える思想を想定しました。ユートピアは水平軸で、私たちはこの世界でないものを空想し、未来ではなく、ここではない他の世界を空想します。ですからユートピアはここに存在しないことに意味がある。非―存在なんです。こういう世界を考えてみる思想です。皆さんは、モアの『ユートピア』がどんな内容か大体ご存じと思いますが、羊が人間を食べるという話だったりします。

この時代はルネサンス末期、大航海時代、宗教改革の時代と言われています。16世紀初めレオナルド・ダ・ヴィンチや、こういう人たちがいた時代です。同時に大航海時代はヨーロッパが世界に飛躍していく時代です。その時代に『ユートピア』という本が書かれた。それはこの大航海と深く関係しています。新しい土地、ヨーロッパではない土地が続々とヨーロッパに報告された時代です。新しい世界に未来を託して書いてあって、当然ながらその時代に規定されています。ヨーロッパは初めて自分がヨーロッパであることに気づく。つまりヨーロッパは非ヨーロッパがないとわからない。初めて非ヨーロッパがなんであるか気づき、自らを客観化する。ヨーロッパの中からヨーロッパになりユートピアを考えたのです。ユートピアというのは、基本的にはこの世界にないものを意味します。今存在するものと無関係に創造的に新しい世界を考えるという思想はずっと続いていって、その中でやがて科学、サイエンスが生まれます。カンパネッラだとか、ベーコンだとかがその後ユートピア論を展開します。もちろんその淵源にはギリシア時代のプラトン国家論の発想があります。

もう一つは、ユダヤ教からキリスト教に流れていく時間軸としての未来を考える思想があります。未来に千年王国論を見るという発想です。ヨハネの黙示録が有名ですが、ユダヤ教の中にそれはある。この二つの思想が、どこがどう繋がっていくのかを整理してみました。結構こうした思想は奥が深い。もちろん日本でも早いうちから翻訳されているので歴史はあるのですが、そのつながりがよくわからない。

翻訳というのは難しいもので、言語の問題がある。その言語の語源をつかまないといけない。語源を遡っていく作業が必要です。言葉は輸入されて変容していきます。ユートピアや共産主義という言葉も、翻訳されてその国に根付いていかねばならないのですが、一方で元の国でどう使われていたかを忘れてはいけない。一通り言葉から語源までを整理して考える必要があります。『共産党宣言』を知るには、この辺りを整理しておかねばならないのです。

ビザンチンから欧州へ

的場――私たちはルネッサンスを西洋の始まりと考える面がありますが、見ようによっては、中東地域からの影響力の結果生み出されたものですよね。中東と言えば、ビザンチン文化がこの中東文化と深く関係しています。ギリシア、バルカン半島、黒海地域、トルコ地域はヨーロッパと言っても、ビザンチン文化圏に入ります。今でもトルコなどのビザンチンの文化を西洋とはみなしていません。でもビザンチンが西洋世界のものを長い間つくっていたといっても良いのです。そうした歴史経過は西洋ではほとんど無視されていて、西洋はあらかじめビザンチン文明や中東文明から独立した西洋として語られる。

ギリシア哲学もそうです。ソクラテス、プラトン、アリストテレス等のギリシア哲学は当然ながらビザンチンに含まれ、そこで研究されました。中東では、というかこの地域を併合していくイスラム圏では、ギリシア哲学をはじめとする思想が継承されます。そこに入っていったのが十字軍です。武力的に彼等に勝利するのですけれども、文明的には敗北する。ギリシア古典哲学はイスラム文化経由で西洋に継承された訳です。ヨーロッパそのものと言われているギリシア古典哲学は、実際にはヨーロッパの外から継承されたのです。

――ヨーロッパがイスラム文化の中にギリシア哲学を発見した。

的場――ギリシア古典哲学が11世紀頃に西洋に入ってくる。これを研究するために11世紀に西欧で大学が生まれます。ほとんどのタイプの学問がここから生まれています。それは中東から入ってきたギリシア文献を研究するためです。こうした研究で進んでいたのは、イスラム圏であったイベリア半島であり、西洋の学者たちはその中心地であったコルドバといったところまで留学して研究していました。ボローニャ大学なども11世紀くらいに創設されます。

西欧キリスト教は直接にはギリシア思想とは繋がっていない。むしろ自然科学を軽視していました。新プラトン学派の影響が強く、経験主義的な学問が発展しなかったのです。アリストテレス的な自然科学は中東で培養され、それが西洋に伝搬してきた。

それは西欧に大きなショックを与えたわけです。つまり神というものから人間に視点を移し、人間そのものを考えるという問題が西洋では十分育たなかった。

これがルネッサンスですが、その直接的原因をつくったのは、十字軍によってもたらされた異文化体験、とりわけギリシア思想です。神ではなく自分たちの問題を考えるようになる。それは多神教的なギリシア文明を経由するしかなかった。それがちょうど一挙に噴出していくのが15世紀の大航海時代の始まりにあたります。こうして場末であった西洋が、繁栄した中東世界から力を奪っていき、世界はヨーロッパ中心へと移行していきます。西洋はヨーロッパを客観化できるようになったことで、自分たちの社会と別の社会を見ることができた。こうしたショックを受けた中で、いつの間にか宗教的、神学的なものの中に不満が出てきて、宗教そのものをも改革する宗教改革が起きたのです。哲学や自然科学的な思考が16世紀に成立します。もちろんその過程は、ジョルダーノ・ブルーノ（1548〜75年）やガリレオ・ガリレイ（1564〜1642年）を見てもわかるとおり、簡単なものではなかったのです。最初にこうした問題を明確に示した人物がニッコロ・マキャベリ（1469〜1527年）です。マキャベリは『君主論』（1532年）で、歴史上の君主を分析し、君主が権力を掌握・維持する手法、資格、力量を論じています。そこで初めて近代の政治学が生まれます。マキャベリは、君主はただ血だけ君主であるのではなくこの世界の政治をしっかりと分析することによって初めて君主たるのだと主張し、政治をいかに合理的に考えるかということが問題になります。

それまでは権力を手にすれば何をやったって良い。しかしそうではない。いわゆる民衆の意を得ないような君主や、世の中の状況をはっきりつかまないような君主では君主としてふさわしくない。目的のためには手段を選ばないといけないので、しっかりと目的を設定しそれに向かって合理的な説明をする。そうしないと君主は消えていくしかない。

ある一つの目標を設定し、それに向かって合理的に説明する。その合理性というのが神の名ではなく、私たちのこの社会を作っている法則性です。だから統治する君主はその動きを分析する。ここから西洋の近代が始まるわけです。

――法学の世界では、イングランドの「マグナ・カルタ（大憲章）」（1215年）に遡及します。1215年に近代化が始まった訳ではないのですが、13～18世紀の過程を経て、イングランドのコモン・ローが形成された後に、その根源を「古き良き基本法」だとして1215年に遡って説明しました。事後的な「発見」ですが、イングランドでは共通認識となりました。「マグナ・カルタ」は特権階級の特権を勝ち取った文書ですが、それがあたかも近代の自由や人権の根拠規定であったかのように無理やり読み替えた。日本の憲法教科書はそのまま受け売りを書いてきました。

的場――トマス・モアはほぼ同じ時期にいわゆる囲い込み運動、14～15世紀の資本主義初期の本源的蓄積と呼ばれる運動で、最初に農民を労働者にした運動を批判しています。少しずつその農業人口を減らしていく。農民たちを借金地獄にして、払えなくさせて追い出していく運動です。このため人々が都会に流れて都会に浮浪者として住みつく。こうして労働者になる卵が生まれていく。それはまだ資本主義の勃興の時代ですが、近代的資本主義の源泉となるわけで、これも近代と言えます。モアは、そうではない世界を世界の架空の島、ユートピア島に求めたのです。ちょうどヨーロッパが大航海時代になって、アジアのいろんな話が出てきて、人々がそういう憧れを持って、世界に暮らしているのは自分たちだけではない、他の暮らし方をしている世界があると想像したのです。

――その意味ではギリシア・ローマからヨーロッパへという一つの説明の仕方、これが一般的に一番わかりやすい説明の仕方なんだけど、実はヨーロッパにとってギリシアは「再発見」されたものであった。

ギリシアという他者と出会うことによってヨーロッパが出来上がった。その後、ヨーロッパ世界の神学が、近代の人文諸科学や自然諸科学に変貌をとげていった。大雑把にそう見ることが出来ます。

的場――そこがなかなか難しいところで、ルネッサンスはヨーロッパ独自のものでヨーロッパの中から起こったという議論もあります。ヨーロッパじゃないと説明できない。すべてはヨーロッパから始まるという考えです。

　一方でこれは証明できるというか、文献がはっきりありますが、ヨーロッパで大学ができたのはボローニャが最初で11世紀ですが、バグダッドやアレキサンドリアにはもっと前から大学がありました。ギリシア古典を研究する場所を大学とすれば、絶対的に中東世界からヨーロッパへの文化の流れを確認できます。要はどちらから見るかです。一般的に「ギリシア・ローマ」をセットにし、それをヨーロッパに組み込んだのは18世紀になってからです。ヨーロッパの根源はギリシア・ローマであると考える。しかし先駆者はビザンチンであり、西洋ではなかったのです。

――ギリシアとローマは地理的にも時代的にも異なります。宗教も異なります。地中海世界だからと言って「ギリシア・ローマ」とセットにするのは元々無理があります。

的場――ギリシアはヨーロッパではない。別世界でした。中世の人たちがヨーロッパと思うはずがないんです。違う文化圏だったからです。文化圏で言うと、当時コンスタンチノープル（現イスタンブール）を中心とした中東地域が、ある意味で世界の中心の一つでした。トルコやギリシア、特にバルカン半島辺りですが、ここが中心だったわけです。それがローマ法王の西ローマ地域が少しずつ力を持っていって、やがて逆転していくんです。逆転すると、これらの地域が場末になってしまいます。

ヨーロッパ側はバルカン半島やトルコを切り離せても、ギリシアだけは手放せない。ギリシアの古典哲学や演劇などの文化はヨーロッパのものにしておきたい。ヨーロッパにとって欲しい地域は2つあるんです。東のポーランドと、南のギリシアです。

ポーランドは東ヨーロッパ最初のカトリック世界です。東ヨーロッパの中でポーランドが占める歴史的位置がそうなので、ポーランドを手放すことはできない。同じことはギリシアでも。ギリシアは宗教も違うし、言語も違うし、必ずしもヨーロッパ的ではないのに、古典というとギリシアを手放せない。この二つは常に19世紀ヨーロッパにとって重大問題になります。ギリシアはギリシア独立戦争です。1821年ですけれども、ヨーロッパは今のウクライナと同じように位置づける。ヨーロッパ中から人々が独立を支持します。イングランド銀行で戦時国債をまかなう。トルコから独立を目指したギリシアをヨーロッパが救援する。それはヨーロッパがギリシアを救うというよりも、ギリシアがヨーロッパを救うからです。

ギリシア独立戦争の勝利によって1820年代にドイツやフランスで、ギリシア文化、ギリシア・ローマ文化が花開く。それがヘーゲル哲学へと繋がっていく。その先にマルクスが控えています。この流れの中で、寄木細工というかヨーロッパという観念を確かに形成していく接着剤になります。実のところギリシアは文字も違うし、宗教も違うし、あらゆるものが違うのですが、これを接続する。この難関を何とか仕上げたのが19世紀の学者たちだった訳です。

そう考えると実はビザンチン、もっと言えばオスマン・トルコの歴史や文化をもう少ししっかりと研究して、これがどうヨーロッパに影響を与えたか。こちらの眼鏡を通して見たら、見える世界がずいぶん違ってくる。そういうものがこの時代に、例えばヨーロッパの科学や文化が、この接触によって形成されたのです。逆に言うと、ヨーロッパがそれだけ貪欲にその地域の文化を吸収して、今のヨーロッパになったという面もあります。

――私たちはヨーロッパ史というか、ヨーロッパを世界一としてずっと理解してきました。ヨーロッパが大きな町で、ヨーロッパがすごい力を持ってるとみなして憧れてきました。

的場――ヨーロッパがギリシアとか、トルコをつまみ食いしたのですが、当時の人口や文化状況を見ると、圧倒的に大きい位置を占めるのがビザンチン文化圏でした。今もそうですけれども、ヨーロッパで一番の大都市はイスタンブールです。イスタンブールはヨーロッパなのか、そうではないのか、微妙です。西欧中心主義が確立した後でも、やはりイスタンブールが一番大きい都市です。他の地域はそれに比べれば周辺になる。私はクロアティアに留学していたのですが、彼等はこう言うんです。「列車がだんだんイスタンブールに近づいていくと、文明が下がってくる」と。そう言う人たちに対して、私は歴史的には逆であると指摘します。今から600年前は、イスタンブールから離れれば文明が下がると言っていた。それが私たちの「レジームチェンジ」です。ヨーロッパはどこからどこまでか。いつの間にか中心になったヨーロッパがすべてであることになっていく。

　最近、ここ20年間ぐらいで日本の研究者も気づくようになりました。日本の研究者は根本まで遡らないで、とりあえず西欧の世界史を受けて世界を読むので、いつも中心だったように考える。アラブ圏やトルコ圏を除外したヨーロッパ史が出来上がっているからです。実はそうではない。

――2003年に本格化したイラク戦争の際、私はイラク戦争反対運動をしていて、イスタンブールの平和運動家と協力しました。イスタンブールを中心に欧州でもアジアでもイラク戦争反対のための「イラク世界法廷」という民衆法廷運動をやりました。それでイスタンブールに初めて行った時のことです。イスタンブールの町は海峡を挟んで両側にあって、片方をオクシデント、片方をオリエントと通称します。両方で成り立っているのがイスタンブールなんです。私たちはこちらがヨーロッパサイドで実体的にヨーロッパの町並みだなと思う。ボートで渡って反対側へ行くと、こちらはアジアの町並みだなと思う。私の頭の中にそういうイメージができていて、そういうふうに見るんです。それでイスタンブールの人に話したら、「ここはイスタンブールだ。ヨーロッパ的だとかアジア的だとか、あなたたちが勝手に言ってるにすぎない」と言われました。なるほどそうです。

ユートピアの歴史的位置

――ユートピア思想の歴史的位置を簡潔にまとめたいのですが、いかがでしょうか。

的場――ユートピアの設定はかなり物語的で、現実という観点から見れば、なかなか説明しがたい。具体的というか、科学的というか、要するに、この世界を変えるためにはどういう制度で、どういうシステムで動いていけば良いのかということになると、説明は十分ではない。こうした情況の中で、社会科学的にものを考えるようになり、それが科学的根拠に基づいてユートピアを現実的なものにする。それが19世紀の共産主義思想につながっていく。

学問の方法が変わってきます。学問というものを私たちは社会科学、自然科学、人文科学という分け方をしていますが、それ以前はそうではなかった。人文科学だけが学問でした。大学ではいわゆる文法論、音楽論、数学論とかそういうのをやっていく。それが自由七科といわれる学問で、文法論、修辞学、弁証論という三科と、算術、音楽、天文学、幾何学という四科のことです。もっと言えば、大学に入って教わるのは総合的で、とりわけ表現術や方法論に重きが置かれたのです。

これは今でも本当は重要な科目です。実用的知識ではないけれど、方法をしっかりとやることで思考能力を高め、表現術を磨くのです。今では基礎的な教養課程となっていて、一般教育、基礎教育と呼ばれています。

ヨーロッパの大学で試験がありますが、基本は面接試験でした。面接で、次々と出される質問に対して答えるのは、弁論術ができるからです。文章を書けても無口な人がいます。人は良いし、ものを書くのは上手なんだけど、喋るのは苦手という人もいます。しかし求められるのは、自信たっぷりにものごとを理路整然と説明すること。その答えではなく、その人間の態度が重要なのです。

大学でも、こういう人をやはり今も教育する必要がありますが、不足していますね。弁論術が抜けたため、日本で試験というのは圧倒的にペーパー試験中心です。客観的に評価するという点では優れているにしても、その人がどんな人間であるかを絶対チェックしない。これが致命的な問題として日本に今返ってきているのです。それは独創性という問題においてです。

本来はこれが基本なんですね。音楽、やっぱりリズム感っていうのが学問には必要です。天文学は想像力をかきたてる。数学は論理的推論を可能にする。幾何学は美しさを教える。これがその社会の分析になんの役に立つのかと言えば、確かにそれ自体は役に立たない。ですから17〜18世紀になってくると、徐々にここに、やはり分析する対象をどうとらえるかに学問が移行する。これベーコンですね。

社会科学の進化です。やがて自然科学という分野が大学や学問の中に導入されてくる。こうした方法が出てくると、ユートピアといった曖昧で、文学的なものは学問から排除されていきます。具体的に社会に実践できるかどうかという説明手法が求められてきます。これが科学的方法となるのです。

——文法論や修辞学は今でも存在しますが、比較的下位に分類されます。社会科学や人文科学といった大きな分類項目とは比べられません。

的場——マルクスがとても好きだった人物の一人に、ナポリ大学のジャンバティスタ・ヴィーコ（1668〜1744年）というイタリアのレトリック（修辞学）の教授がいます。長い間イタリアでは、入学すると全学生がレトリックを教わるのです。

ヴィーコはレトリックの先生なんです。著作に『学問の方法』（1708年）や『新しい学』（1725年）がありますが、弁論術、雄弁術です。彼はこう述べます。私たちの世界は真実とはこうだと言っているけれど、真実なんていうのは実ははっきりしない。実はもっともらしいもの、真実に近いものはわかるけど、真実の認識はない。もっともらしいものをインゲニウムと言います。実は人間は「らしいもの」しか理解できないのだと。だからそれを表現する表現力、修辞力が大きな意味を持ちます。

要は真実に近いものをどう示すかというと、これを表現する手段に依存します。真実らしく表現する方法、これが弁論術です。そういう意味ではとても重要です。このような学問こそ重要で、学問の方向というのは、あくまで弁論、表現術なんだと。人間の理解能力は真実を知るようにできていない。だから真実のように見せることが重要である。マルクスはヴィーコを評価していました。そう考えると、まさにマルクスのいう科学とは、真実はこうだと客観的に語るようなものではなく、それを時代と社会の中でどう表現し、どう説明するかという方法です。だから彼はヴィーコを高く評価します。

こういう中で18世紀には、徐々に人文社会科学的なサイエンスというか、新しい諸科学が登場し、それが学問という形で発展していきます。

大航海時代の知

——私は、アイルランドの作家ジョナサン・スウィフトの『ガリヴァー旅行記』を大学院生の時に初めて通読しました。子ども向けの絵本と違って、読み方によっていろんなものを汲み出せるところがあります。経済学でもそうかもしれませんが、法学でもそうでして、人と人との関係を規律する規範を原理的に組み立てようとすると『ガリヴァー旅行記』はいろいろ使えます。どこから人と人の関係が始まるかという議論に使えます。

的場——スウィフトの時代は17~18世紀ですが、大航海時代の結果として広域的な貿易が始まっています。商業に関する考え方が変わっていきます。変わっていった理由は明らかです。17世紀から東インド会社、西インド会社という、いわゆる国策的な貿易企業ができます。ヨーロッパがどんどん世界に進出し、世界と接触する。そのことによってヨーロッパの商業が世界と結びつき、そこでその世界のことを知ることはとても重要でした。経済学という学問が成立していく時代でもあります。そういう商人が知ったことをビジョンとして描き出す。ちょうど18世紀前半で、経済学はそこから始まります。経済学者の中ではアダム・スミス（1723〜1790年）をもって始まるとされます。著書の『道徳感情論』（1759年）、『国富論』（1776年）があります。

スミス以前にも経済について書いた者は結構たくさんいました。この人たちもヴィーコの同時代の人たちです。重商主義と言われてる時代です。重商主義がフランスで生まれていますが、それはコルベール主義と言われています。『大航海時代叢書』（岩波書店）というシリーズがありました。1960〜90年代にかけて、非西欧世界の記録（航海記・探検記・見聞録・民族誌など）を日本語訳した一大叢書です。ざっと見ておくと、第Ⅰ期は『クリストーバル・コロンの四回の航海』『アメリゴ・ヴェスプッチの書簡集』『ドン・ヴァスコ・ダ・ガマのインド航海記』『バルボアの太平洋発見』に始まり、『アコスタの新大陸自然文化史』『ジョアン・ロドリーゲス 日本教会史』と続きます。

第Ⅱ期は『ブーチェのカナリア諸島征服記』モンセラーテ『ムガル帝国誌』『イエズス会と日本』『ラス・カサスのインディアス史』など膨大な著作が出版され、世界史認識を大きく変えることになりました。さらに『ユートピア旅行記叢書』（1996〜2002年）も続きました。『大航海時代叢書』は実際の航海記録ですが、『ユートピア旅行記叢書』はどこにも存在しない世界を描いています。シラノ・ド・ベルジュラックの「別世界または日月両世界の諸国諸帝国 月の諸国諸帝国・太陽の諸国諸帝国」マーガレット・キャヴェンディッシュの「新世界誌 光り輝く世界」ベルナール・フォントネルの「哲学者の国またはアジャオ人物語」ジョナサン・スウィフトの「ガリヴァー旅行記」などが収録されています。

——第11巻は『哲学者たちのユートピア』と題されて、シャルル・ド・モンテスキューの「トログロディット人の寓話」、ヴォルテールの「エルドラド」、ジャン・ジャック・ルソーの「クララン共同体」、ドニ・ディドロの「ブーガンヴィル航海記 補遺」等が収録されています。西欧近代思想の大立者たち、名だたる啓蒙思想家たちが、揃ってユートピアに挑んでいるのも興味深いです。

的場——ユートピアはどこにも存在しない世界ですが、だからこそ私的所有を転倒させた共有思想や、全員が同じ服を着たり、同じ食事をするといったような空想物語が描き出されます。

——マルクスが同時代、あるいは先行する様々な社会主義等の思想をどういうふうに乗り越えていったのか。私たちは従来、マルクスが批判したというか、マルクスに批判されて過去のものになったと決めつけていた。もともと私たちはマルクスが批判した部分しか見ていなかった。

そういう時代が長かったと思うんですが、そのあたりのことを的場さんは著書『未来のプルードン——資本主義もマルクス主義も超えて』（亜紀書房、2020年）の中で、マルクスがどうプルードンを批判したのか、プルードンがそもそも何を言っていたのか、プルードンの側から見たらどう見えるのかという流れの中で全体を見る。その上でマルクスの思想にどういう意味があったのかということを議論しています。ある種、空想に位置づけられてしまったプルードンをどう見るか。当時としては多分プルードンが優れて科学的だったかもしれないのに、マルクスから見れば、空想の側に位置づけられてしまった。

的場――『共産党宣言』のとても有名な箇所ですが、第3章でユートピア的思想家を批判している箇所があります。ただ最後に出てくるのがロバート・オーウェン（1771～1858年）、アンリ・ド・サン・シモン（1760～1825年）、シャルル・フーリエ（1772～1837）などです。

――オーウェンには多数の著書がありますが、日本で知られているのは『新社会観』（1813年）です。サン・シモンの主著は『産業階級の教理問答』（1823～24年）、『新キリスト教』（1825年）です。

的場――社会主義の中でも、当時いわゆるユートピア思想家というのは未来志向なんですが、一方で後ろ向きな思想家も存在していました。封建的社会主義とマルクスは名付けます。封建的社会主義というのは、昔の方が今よりは良かったと考える人々です。昔は共同体があって、みんなと一緒に生活し、楽しかったなというふうに、ロマン的にその時代に戻りたい、昔の共同体に戻りたいという人たち、これは後ろ向きの考えですが、これらの人たちを封建的社会主義と特徴づけています。

いわゆる職人層も、資本主義社会が進み、資本主義によって生まれた労働者が登場すると時代についていけなくなります。職人の親方モデルを前提にして、共同体を考えたりします。たとえば織機を所有し、そこで作って売っていく自営業的な世界の時代は良かったと考える。自営業的な世界が崩れた後に、自営業的な世界を何とか維持しよう、頑張ろうとする。これも広い意味では後ろ向きの社会主義なんです。実際には、過去の悲惨な歴史を知らず全く誤解している、職人層は懐古趣味的な発想に入れ込むんです。

社会主義を分類する中で、マルクスがなぜ分類するかというと、そもそも『共産党宣言』は共産主義者同盟の綱領だったことにその理由があります。綱領を書く。そこで悩んだわけです。当時の組織の綱領というのは、一定のパターンがありました。今で言う「Ｑ＆Ａ形式」とか、「対話形式」とかが中心だったのです。この草案は前に２つありました。しかし共産主義者同盟はそれを破棄しました。そしてマルクスにその執筆を依頼したのです。『共産党宣言』は革新的だったのです。宣言というのはそれまで問答形式でした。それを一つのストーリーにしたのです。論理的なストーリーにまとめあげたのです。そして『共産党宣言』には独特のリズム感があるんです。

――冒頭の「ヨーロッパでは一つの亡霊がうろついている。それは共産主義の亡霊である」にしても、第一章冒頭の「これまですべての社会の歴史は階級闘争の歴史である」にしても、読者を引きずり込む表現です。

的場――『共産党宣言』は第一章で資本主義がどのように起こって、どうなっていくかについて書いています。第二章で資本主義を批判して、共産主義を主張する人たちの誤解について説明します。第三章でこれまでの共産主義や社会主義について批判します。そして最後の第四章で共産主義者の当面の任務を記します。

問答形式から、論文調に変えたことによって、明確な理論的指針を展開します。これは当時の人々にとってショックなことだったと思われます。そして他の組織との違いを明確化した。まさにそれはマルクスという思想的中核が出現したからです。当時の運動でここまで理論的に明確な綱領はなかったのです。当時の多くは、共産主義ではなく社会改革というレベルで動いていた。それを資本主義の歴史的必然を説明し、それが崩壊することを予測することで、どういう社会を作るべきかを明確に説明したのです。経済学という学問を駆使し、歴史的必然、唯物史観という方法を用いたことが、大きなショックを与えたのです。経済学という学問を共産主義の運動の中に入れ、明確に共産主義者の運動は歴史的必然であることを証明することで、共産主義者の決意に自信をもたせたのです。マルクスが1844年以来経済学を学び、その延長線上で共産主義の運動を説明しようとした考えが、完璧に結実したわけです。

始まりとしての近代的所有

的場――当時の国民経済学者の基本前提は所有です。所有を前提にし、そこから経済学を始めました。その所有を否定したわけですから、それはショックです。それはプルードンが与えたショックですが、マルクスはそれを歴史の過程として説明した。プルードンの『所有とは何か』との最初の出会いは1842年です。マルクスは『ライン新聞』の編集をやってました。1842年に編集者になりますが、そこでプルードンの『所有とは何か』に対する批判が出たのです。

そしてその新聞、『ライン新聞』もこうした共産主義や社会主義の新聞ではないか、けしからんと批判を受けました。マルクスはまだ経済学を勉強してないため十分な答えがなくて、新聞が共産主義・社会主義ではないことは間違いないが、だけどあなたたちが言うように、共産主義・社会主義を少しも勉強しないで、一方的にそれを批判するのはおかしいと述べ、これから私は勉強すると述べるのです。

1842年11月、初めて共産主義・社会主義とは何かという本を読むんです。そこでショックを受ける。当時マルクスはモーゼル川の貧困問題を連載していました。貧困問題のポイントはどこにあるのかを考えていたのです。貧困を見てただかわいそうだと考えても意味がない。なぜ貧困が起こるのかという基本的な問題について、学ぶ必要が出てきたわけです。

プルードンは経済学者が貧困問題を無視してきた、経済学者はいかにして豊かになるかということだけ研究しているけれど、肝心な点を見落としていると指摘した。経済学というのは基本的に所有を前提にしている。所有を前提にしている以上、所有を守ることが経済学となる。どこから始まるかというとフランス革命の人権宣言です。

フランス革命の人権宣言はフランス憲法の最初に書かれてあります。1789年8月に宣言ができます。その中で有名な言葉が、自由、平等、友愛（博愛）です。フランス革命のスローガンとされ、フランス国旗の三色旗につながります。しかし当時はこの3つだけでなく5つの言葉でした。所有と安全、この2つは実は表面上出てこないのです。最初は5つだったのに、やがて3つに絞られます。自由、平等、友愛です。それは所有と安全を隠すためです。この外された言葉、所有と安全が一番重要なのです。

――1789年のフランス人権宣言は、私の専攻である刑事法にとっても最重要文献です。第4条で自由の定義がなされ、第5条で法律による禁止が明記されます。法律によって禁止されていないことはすべて自由とされます。第7条で適正手続きと人身の安全、第8条で罪刑法定原則、第9条で無罪の推定が掲げられています。全部で17カ条の宣言ですが、かなりの部分が刑事法分野の人権規定となっています。

　自由、平等、博愛、所有、安全について確認すると、第1条で「人は、自由かつ権利において平等」と謳い、第2条ですべての政治的結合の目的として、「自由、所有、安全および圧制への抵抗」が掲げられます。第4条は先ほど触れた自由の定義で「自由とは、他人を害しないすべてのことをなしうること」とされます。第10条が意見の自由、第11条が表現の自由です。そして最後に第17条で「所有は、神聖かつ不可侵の権利」であるとされます。宣言は自由と平等で始まって、所有で締めくくられています。

的場——フランス人権宣言では所有の不可侵性が語られます。所有がなぜ必要なのか、所有と平等の関係についてなどはまったく語られません。肝心なものが抜けてしまうわけです。なぜ所有を抜かしたかというと、そもそもフランス革命が目指したところが、自由に力点があった。平等という概念が抜け落ちていく。平等という概念を復活させたのが、19世紀の社会主義運動と共産主義運動だったのです。

　当時社会主義者や共産主義者に対する検閲はプロイセンでは一般的でした。ところが３００ページの厚い本なら検閲がないんです。１８４２年からそうです。それより薄い本は検閲対象です。厚い本は検閲に触れないので、なるべく厚い本を書く。そうすると検閲がない。

　フランスには検閲はなかったのですが、様々な形で妨害はありました。特にプルードンを批判した教会からの批判です。教会はプルードンの書物を冒涜だと見て、攻撃します。

　マルクスが経済学の勉強を始めた最大の理由は、それが共産主義運動の肝だと見たからです。友人エンゲルスは「国民経済学批判大綱」という論文を書くのですが、マルクスは『独仏年誌』で、これを編集した際に影響を受けています。ちょうどその頃、森林盗伐というか、モーゼル川の農民問題あって、社会主義に興味を持ち始めました。

――ジャーナリスト的資質から現実の問題に取り組みながら、哲学から経済学へとシフトしていく。

的場――本書第二章で述べたことですが、補足しておきます。『ライン新聞』時代、ラインのいろいろな問題を批判する中で、現実問題としての経済の問題に直面します。ただ学問として経済学を勉強するのは、それから1年後になります。エンゲルスに学び、さらにプルードンに学ぶことになります。プルードンがマルクスに刺激を与えたことで二人の交流が始まります。ただ、やがて二人の関係は憎悪に変わっていく。それについてはちょっと補足しておいた方が良いかもしれません。

マルクスはもともと文学を専攻したいと思っていた学生だったんです。彼は詩人になりたかったが、家の事情、父親との関係で法学を勉強せざるをえなくなった。しかしそれを放棄し、哲学にのめり込んでいきます。初期の著作は哲学的です。ただ大学を出た後で編集者になったために、現実問題に遭遇することになったのです。

――時代に挑もうとする青年マルクスがプルードンに遭遇して、方法としての経済学批判への道を歩み始めた。

的場――マルクスは大学に6年在籍しました。１８３５年にボン大学に入学しましたが、最初やんちゃ坊主で浪費癖があり、親が「こんなことでは駄目だ」ということで、１８３６年にベルリン大学に転校します。厳格なことで知られるベルリン大学で法学を学ぶことになります。ところが哲学に興味を持っていきます。大学では法学の課程を一応卒業しています。法学部を卒業しましたが、哲学教授になろうと考えて哲学研究に励みます。1841年4月にイェーナ大学に提出した博士論文は「デモクリトスとエピクロスの自然哲学の差異」です。これで哲学博士号を取得しました。ベルリン大学ではなく新興のイェーナ大学でした。法学ではなく哲学の教師をめざして博士論文を書いて、ベルリン大学ではちょっと難しいということで、イェーナ大学に出しました。4月6日に提出して、4月15日に博士号を授与されています。

博士号の審査は普通、半年はかかります。提出する側は3~4部書いて提出します。それを全先生に読んでもらって、教授会を何度か開いて審査します。ところがマルクスの論文の審査は一週間余りです。この博士論文でボン大学に就職するつもりだったのです。ボン大学私講師だったブルーノ・バウアー（1809~1882年）のところに就職しようと思っていました。バウアーはヘーゲル左派の哲学者でしたが、無神論に基づいてキリスト教批判をしていました。著書『無神論者・反キリスト教徒ヘーゲルに対する最後の審判ラッパ』（1841年）で教会と国家の結託を批判しました。このためもあって1842年、講義停止になり、ついに失職します。マルクスはこれに巻き込まれて就職の機会を逃しました。結果、ケルンの『ライン新聞』に友人の紹介で潜り込みます。これは幸いだったと思います。もしこのまま彼が哲学教授になったら、私たちは『資本論』も『共産党宣言』も手にすることが出来なかったのです。行き場のなくなったマルクスは社会主義者モーゼス・ヘス（1812~1875年）たちが運営していた『ライン新聞』に参加します。1842年に論文を寄稿しましたが、同年10月に編集主幹に就任します。

――ユートピアとともに、ディストピアという事態も論じられるようになってきました。もともとそうだったのかもしれません。なぜユートピア論がディストピア論という形で出てくるようになったのか、その時代の特徴もあると思います。主なディストピアとしては、H・G・ウェルズ『モダン・ユートピア』（１９０５年）、エヴゲーニィ・ザミャーチン『われら』（１９２４年）、オルダス・ハックスレー『すばらしい新世界』（１９３２年）、ジョージ・オーウェル『１９８４年』（１９４９年）、エルンスト・ユンガー『ヘリオーポリス』（１９４９年）、レイ・ブラッドベリ『華氏４５１度』（１９５３年）が知られます。

的場――ディストピア論は16世紀ころから登場しています。フランスにはラブレー（１４８３?～１５５３年）がいました。彼の書いた『ガルガンチュア物語』のテレームの僧院がそれです。トマス・モアも同時代です。この時代にすでに逆ユートピアが登場しています。どうしようもない世界という逆ユートピアを描くような書物が出てるんです。20世紀になってソ連体制を批判する形でユートピア思想と、これに対する逆ユートピアが出てきますが、16世紀は「科学の時代」です。科学がいわば万能になってきたことに対する危惧ではないかと思います。

20世紀になってユートピアというものが現実になってしまった。それがロシア革命です。ロシア革命が現実になってくると、ロシア革命が実現していることが科学的である。合理的であることになる。それを極端に進めると、どうもおかしな世界が生まれる。これに対して今度は逆ユートピアです。ユートピアは元々自由を求め、今の世界とは違った世界を模索した。存在しない世界が現実の世界に実際に存在したら、ディストピアになっていきます。

ユートピアは現に存在しないからユートピアなのであって、ユートピアができてしまうと、それに対して今度はユートピアではないものを出さないといけない。オーウエルの『1984年』はその典型的な書物かもしれません。

――ユートピアとディストピアは裏表と言って良いでしょうか。

的場――オーウェル『1984年』は決して全てがロシアの社会主義に対する批判ではなく、むしろ近代社会に対する批判です。モダニズムがどんどん進んでいくと、私たちがどんどんそれに巻き込まれていって、機能主義というか、機械的になっていく。そのような世界は自由を奪い、人間を家畜化していく。そういう流れが20世紀に登場します。

ブロッホの希望

――さて、ようやく「待ち望む力」です。的場さんの著書『待ち望む力』のサブタイトルは「ブロッホ、スピノザ、ヴェイユ、アーレント、マルクスが語る希望」です。ここで議論されるのは社会思想なんですが、具体的には希望とか、喜びとか、愛についての理解を取り上げています。ブロッホの『希望の原理』を初めとする著作をもとに、それぞれを論じています。特にユダヤ系の人々がこういう思想を展開していることと、マルクスを繋げていこうとされたと思います。希望、喜び、愛をめぐる思索を通り抜けることで将来社会構想に繋げようとしたのかなと思います。

的場――将来社会、未来社会の構想を社会科学的にきちんと説明できるのかという問題があります。プルードンのように私的所有批判を手掛かりに一貫した議論をすることができるか。ブロッホやスピノザに注目したのも、彼らは遠くまで見ているからで、射程が広い議論をしているからです。

――的場さんはエルンスト・ブロッホ（1885～1977年）の著作『希望の原理』（1959年）から始めています。ちなみにブロッホの最初の著作がまさに『ユートピアの精神』（1918年）です。他方でディストピア論としては『ナチズム――地獄と神々の黄昏』（1970年）があります。

的場――ブロッホの『希望の原理』は全3巻の大作ですから、いろんな読み方ができます。この本を書き始めたのは1938年、ブロッホがナチス・ドイツから逃れてアメリカに亡命中のことです。第二次大戦前後の暗闇の時代に「希望」を語ろうとしました。ここで「希望」と言っているのは漠然とした話ではなく、何かを確実に変えたいという強い意志のことです。ブロッホは「考えるとは、踏み越えることである」と言っています。現に存在しているものの中に未来への可能性があり、それを見つけることが希望だと言います。

　ブロッホは、1837年11月10日のマルクスの父親宛の手紙に注目します。父親はその翌年亡くなるんですが、マルクスは病気療養のためベルリンの郊外に引っ越します。そこでヘーゲル哲学を学んでいます。ヘーゲル哲学を意識しながらベルリンの郊外に滞在していました。手紙は「ひとつの人生の契機というものがあります。それは過ぎ去った時間を境界のように示し、同時にしっかりとした新しい方向を示すのです」と始まります。19歳の若者であるにもかかわらず、マルクスは「人生の契機」を語り始め、ヘーゲルの「世界史」という言葉を使いながら、頭の中で未来を理解しようとします。

ベルリンで詩や芸術に没頭していたマルクス青年が哲学との格闘を始めます。ところが哲学論文を書こうとしても、地に足がついていないために見事失敗します。そこで頭でっかちな論文を断念して、現実の国家や法の問題を取り扱うことにします。これから書く予定の法体系の一覧表をそのとき提示しています。19歳の青年が法体系の一覧をオリジナルで書くことなどできません。無鉄砲な挑戦ですが、これ以後のマルクスは『資本論』に至るまで、果敢に大きなプランを作って、それに挑むということを繰り返します。

マルクスは「哲学がなければ前に進めない」と考え「新しい形而上学の根本的体系」に挑みます。無理がありますから破綻します。大学生活の6年間、こうしたことの繰り返しで、苦闘することになります。ある日突然、マルクスは何かわからないんだけれども、自分の宿命というか、自分の未来――その自分の未来の中に行くべきところはわかってない。わかってないけれど、何か惹きつけられるものがあって、新しい時代に向かっていけるような気がしてくる。マルクスはある意味、飛んでいる。思考が遠くに及んでいるのです。哲学者たちがヘーゲル哲学を継承して展開しようとしていた時代です。マルクスは苦難の末にヘーゲル哲学にたどり着きますが、それは「革命的ヘーゲル哲学」であって、ヘーゲル哲学を乗り越える「希望」を感じ始めていました。

――ヘーゲル左派と呼ばれる思想運動に入り込んでいきます。その過程で希望が触媒になった。ヘーゲル左派として知られるのは、ダーフィト・シュトラウス、フォイエルバッハ、ブルーノ・バウアー、マックス・シュティルナー等です。

的場――第二インターナショナルを指導するドイツ社会民主党の考えは、資本主義社会が引き起こす経済的矛盾を待つことでした。経済的矛盾によって革命が起きる。つまり物質的に革命が起きる条件がそろってはじめて革命が起きる。ここでは主体的運動の概念が消失します。しかも第二インターナショナルは第一次世界大戦に進んで参加することになってしまいました。労働者の組織である第二インターナショナルは戦争を阻止することができませんでした。ここで問われるのが労働者の主体性問題です。

　ブロッホは若い時、ユートピアや、宗教改革時代のトマス・ミュンツァー（１４８９～１５２５年）の研究をしていました。その延長で主体性研究が実を結びます。ブロッホが19歳のマルクスの手紙に着目したのは、革命はそれを望む希望から生まれた実例として意味があったからです。革命はつねに革命家の未来への確信の中にあるわけです。

　ブロッホはレーニン（１８７０～１９２４年）の『何をなすべきか』（１９０２年）を引用します。マルクス主義者は夢を持つことが可能かという問いに対して、レーニンは周囲の人々が現実を冷静に観察していて、現実を変えようしないことを批判しています。ブロッホは「ことばのよき意味としてのユートピア原理の概念は、希望とその人間にふさわしい内容の概念として、まさに中心的なものである」と述べています。

　新しい未来を切り開くことが才能ある天才の役割だとブロッホは主張します。それは単なる夢ではなく予感です。しかも単なる予感でもなく、自分の中にある意識を積極的に分析することから得られる自己変革を必要とします。革命家は革命を考える前に自らを革命しなければならないのです。――自らを革命するのですから、前進し、変容し、転換を遂げていく。その転換の過程が合理的であるかが問題となりそうです。

的場――どこまで分析が優れていたかはどうでも良い。言ってみれば、それぞれの思い込みです。マルクスはそうではない世界を鳥瞰《ちょうかん》し、それに突き進むと言っている。突き進むというのは、革命が起こるだろうではなくて、起こるに決まっているという思い込みです。こうした思い込みこそ、思想家をある一つの感性へと繋いでいくものです。マルクスは確かにそうですね。彼を単なるインテリとして見たら、ちょっと理解できません。ユダヤ教的思想の脈絡の中で何か乗り越えるものを持っている。直感に始まって立論を整理する。結果的に直観型なのです。予感として近代のメカニズムの欠陥を意識し、証明は遅れてやってくる。

　しかし最初の直感がそのまま結論になるわけではありません。私たちが関心をもつマルクスはここにあります。徹底的に対象を分析し、結論を得る。科学的に正しい感覚を手にする。最初に思いついたことが結論となるのはなぜか。なぜその結果が正しいことを知っていたのかということが問題です。この直観の論理こそ、ある意味でのマルクスの宗教、ユダヤ教、ラビの家系の伝統が生きているといって良いかもしれません。ユダヤ系の人たちが18～19世紀、特に一気に大きな影響を与えました。西洋と違った文化を持っていたことで、西欧近代の問題点が理解できたからです。こういう問題をマルクスの思想の中でどう理解するかは、大きな問題を含みます。ブロッホが予感と決意を、希望と革命を論じたのはこういう意味です。先取りされた理想がやがて現実の中で成就していくのです。

――ブロッホは初期マルクスと後期マルクスの差異を意識していたでしょうか。日本では、初期マルクスの疎外論から後期マルクスの物象化論へというテーゼが随分と議論されました。哲学から経済学への進展と結び付くのか、結び付かないのかも含めて、多様な議論になっていたと思います。

将来社会構想との繋がりで言うと、科学的社会主義という言い方をする時には、資本の運動法則が必然的に社会変革をもたらすという一方で、他方で労働運動を主体とする万国のプロレタリアートの団結によって、革命運動によって起こすという革命運動の主体性の問題があります。先ほどドイツ社会民主党の例でも出てきましたが、その両者の関係をめぐってずっと議論があったと思います。

的場――マルクス研究者の中でも昔から初期マルクスと後期マルクス問題のような形で多様な議論がありました。初期マルクスから後期マルクスに進むということは成長することですから、必ず良くなってくるに決まっているだろう。確かにそうです。私だって50年前の若い時に書いたものを見ると、確かに知識が不足していて、不十分で、いくつか問題があるわけです。ただ年をとったら良くなったかというと、必ずしもそう言えるものでもない。若い時の情熱というものが減少した。後期が良いという発想だけで考えたら間違いを犯す。初期の輝きはどうして後期に出てこないのか。そこに微妙な問題があります。とても重要な問題です。マルクスの知的成長の過程です。とりわけ自己意識という主体性の問題は重要です。主体性から生産力の問題に進みました。それによってどう変わったのか。

元々マルクスは文学者です。詩人を志していたり、劇作家になろうと考えていました。そのマルクスがヘーゲル哲学を研究した。ヘーゲル哲学では、手短に言えば何もかも自己意識の展開、自己意識の発露として理解する。文学的感性を持つ者はそれをどう理解するか。マルクスは悩んだわけです。想像力や創造力の問題です。マルクスは芸術と生産力の問題をずっと悩み続けるんです。マルクスは『経済学批判』（1859）の序説でギリシア芸術に関して書いていました。ギリシアの芸術が単なる生産力を反映したものではない。何か大きなものを持っていると理解していました。

それを説明すると唯物史観の問題は迷路に入っていきます。だから彼は唯物史観を『ドイツ・イデオロギー』で完成させたとしても、一方で芸術というものが生産力に規定されないものであることも認識していたのです。

若きマルクスは観念論者でした。いわゆるヘーゲル的観念論ではなく、違ったタイプの観念論です。それはフォイエルバッハの影響も受けていたからです。マルクスが観念論からどのように唯物論に移行したのか。マルクスの場合それはそう単純なものではなかった。生産力と生産諸関係の問題、そして上部構造の問題は、アルチュセールに言われるまでもなく、複雑な重層的関係にあったと言えます。

これにはいろいろな論点があり、複雑です。私がなぜマルクスの伝記を書いているのかというのも、こうしたことを明らかにしたいからです。先輩の大内兵衛（1888～1980年）や向坂逸郎（1897～1985年）はヨーロッパやソ連の研究者が書いてる伝記を翻訳しています。

――大内兵衛と向坂逸郎は二人で『共産党宣言』（岩波文庫、1951年）を翻訳しました。大内兵衛は若い時期に、カウツキーの『マルクス・エンゲルス評伝』（我等社、1926年）を翻訳し、後に自分で『マルクス・エンゲルス小伝』（岩波新書、1965年）を書きました。向坂逸郎は『マルクス伝』（新潮社、1962年）の著者です。

的場——大変苦労されて翻訳・執筆しています。ただしっかりと調べていないので、ある意味では綺麗な伝記と言いますか、悩むべきところには深く立ち入らない伝記にならざるを得ません。綺麗に展開するから、例えば宗教問題ですが、マルクスは古いユダヤ教から近代的なプロテスタントに改宗したのは、プロテスタントが合理的であったからだと書いています。これは西欧社会の見方としてはそう言えても、客観的にそう言えるのかという問題ではない。非西欧、ユダヤ教の文脈で見た方が良い面もあります。ある人物を描くとき、根本的な問題を避けて通ることではできません。ユダヤ教は固陋《ころう》の宗教であったのかどうかという問いに答えなければならないからです。

——唐突に今思い出したのですが、長いこと忘れていた著書があります。1980〜90年代に出た本で、主に福島大学の研究者たちが中心で『講座　資本論の研究』（青木書店、1980〜84年）という連続講座があって、当時この種の研究書として非常に高い水準で話題になっていたと思います。私も全巻買って持ってました。その中にあった将来社会構想論の基礎になる理論として、「物象的依存関係から人格的依存関係へ」という形で整理していました。非常にわかりやすい優れた論文で、私は当時、大いに魅かれて読んでいました。今の話の文脈で言うと、もちろん商品や貨幣というものを媒介とした物象的依存関係から、そうではない人格的依存関係へと発展していくような社会構想の基礎というのが提示されている。ここで言う希望や喜びや愛をめぐる思索につながってくるのかなと思います。

的場――それは『経済学批判要綱』のちょうど中ぐらいのところに書いてある言葉ですね、マルクスは『資本論』第1草稿としてこの要綱を書いたわけですが、この最初の草稿というものは歴史的な分析に優れています。

そこで人類の歴史を総括しています。最初が人格的依存関係の議論です。人格的依存関係とは人間が人間のそれぞれの地位だとか、力に依存して、社会を組み立てているということです。かつて封建制社会は人格的依存関係が強かった。ところがこの社会が商業関係によって崩れていくことによって、物象的依存関係に移行した。金と金との関係になったということです。ある意味で平等なんです。お金さえ出せばどんな人も物を買えます。お金を通じて人間の関係が形成されて、どんな偉い人もどんな駄目とされる人でも、お金さえあれば良い、なければ駄目という関係になってくる。そして最後の段階が自由な人間関係で、それが人類史の最後ということになります。

スピノザの喜びと国家

――ブロッホの次にベネディクトゥス・スピノザ（1632～1677年）の『エチカ』（1677年）が取り上げられています。スピノザは17世紀オランダの哲学者で、一般的にデカルト、ライプニッツと並ぶ近世合理主義哲学者とされています。家系としてはアムステルダムの富裕なユダヤ人貿易商の家庭に生まれています。ポルトガルでのユダヤ人迫害から逃れてオランダに移住してきたそうです。代表的な著書として『知性改善論』（1662年）、『神学政治論』（1670年）、『国家論』（1675～76年）、

『エチカ』があります。いずれも何度も日本語訳が出ています。

的場――スピノザの『エチカ』は人間社会の倫理を論じた本ですが、実際に読んでみると人間社会の範囲を超える壮大な書物です。世界創造から始まり、自然界と人間世界について論じています。その上で注目すべきは人間の喜びについての議論です。スピノザは外界から刺激を受ける受動的な行為の中に喜びと悲しみがあると言います。喜びも悲しみも精神だけでなく身体にも影響を及ぼします。そしてスピノザは希望、恐怖、安堵、歓喜、落胆といった感情について、喜びから説明します。喜びに従って生きるべきなのですが、なかなかそうならないのが人間であると述べるのです。

スピノザは現世の欲望を否定しません。ただそれは人間にとって最終的な目的ではありません。人間社会を調和ある形に積極的にすることが求められ、共通善を模索する必要があります。共通善を媒介項として社会を制御する国家という思想が出てきます。

スピノザの国家はコモンウェルス（共同体）という概念です。著書『〈帝国〉』『マルチチュード』で知られるイタリアの思想家アントニオ・ネグリ（1933〜2023年）によると現実に存在する国家ではなく、本来ありうるべき国家のことです。オランダのオラニエ家が支配する国家を破壊して生まれる国家のことです。

――ネグリはマイケル・ハートとの共著『〈帝国〉――グローバル化の世界秩序とマルチチュードの可能性』で、グローバリゼーションの進展に伴って出現した主権の形態を〈帝国〉と表現しました。脱中心的で脱領域的な主権というイメージが現代思想に大きな影響を与えました。『構成的権力――近代のオルタナティブ』（松籟社、1999年）、『マルクスを超えるマルクス――『経済学批判要綱』研究』（作品社、2003年）、マイケル・ハートとの共著『マルチチュード――〈帝国〉時代の戦争と民主主義（上・下）』（日本放送出版協会、2005年）をはじめ多くの著作が邦訳されています。現代思想における最重要の思想家です。的場さんも『〈帝国〉を考える――アメリカ、東アジア、そして日本』（双風社、2004年）を編集しています。

ヴェイユの重力と恩寵

――ブロッホの希望、スピノザの喜びに続いて、的場さんはシモーヌ・ヴェイユ（1909～43年）の『重力と恩寵』を手掛かりに、生きることの辛さ、苦しさについて論じています。ヴェイユはフランスの哲学者ですが存命中は無名の人物で、死亡後に出版された『重力と恩寵』（1947年）がベストセラーとなって「発見」された思想家です。

的場――『重力と恩寵』でヴェイユは神は絶望的な人間しか愛さないと言います。絶望がないのに神を愛している人間は、実は神に取り入っているだけです。神を愛するためには肉体の欲望をすべて捨てる必要があります。すべてを捨てきる先に真空がある。人間は重力の重みに潰されて堕落します。堕落を捨てるには死を覚悟するしかありません。

身体を捨て、精神のみに生きるというヴェイユの世界は常人にはまねのできない苦しい世界に見えます。何かに頼るのでもなく何かを非難するのでもなく、生き抜く力というのは、すべてのものに一定の距離を取ることでもあり、とても寂しいことです。

ヴェイユは「どうしようもない必然、貧困、窮迫、押しつぶすばかりに重く迫る欠乏と極度の疲労をさそいだす労働、残酷さ、迫害、非業の死、矯正、恐怖、病苦など——これらはみな、神の愛である」とまで言います。

——試練こそ、神が与えてくれる愛である。

的場——希望を持ち、希望にこだわりすぎると自らの不幸を嘆き、何かを非難せずにいられなくなります。それは憎しみや嫉妬になってしまい、結局のところ自らを苛みます。「想像力」の機能は豊かな心だけでなく、憎しみや嫉妬を生み出すかもしれない。

——ブロッホの希望とヴェイユの希望はどういう関係になるのでしょうか。

的場——二人ともとても尋常では考えられないことを述べています。何かを変えねばならないという確信は、先験的にある人物に宿ることになるということは、それを受けた者にとって厳しい運命に人生を捧げることを意味します。ヴェイユは人間が肉欲を棄てた先に見る世界も、とても厳しいものがあります。それはアーレントの愛でもあり、またスピノザの神の命令に似ています。希望を持つことは楽観的に世界を見ることではなく、希望にすべてを捧げる厳しい世界だということです。

アーレントの愛の概念

――次はハンナ・アーレント（１９０６～１９７５年）です。アーレントはドイツの哲学者で、ハイデガーの弟子でもありましたが、ナチス・ドイツに追われてアメリカに亡命しました。『全体主義の起源』（１９５１年）、『人間の条件』（１９５８年）、『革命について』（１９６２年）、『暗い時代の人々』（１９６８年）、『暴力について』（１９７０年）など、著書は実に多数あります。私は国際刑法におけるジェノサイドや人道に対する罪を研究してきたので、『イェルサレムのアイヒマン――悪の陳腐さについての報告』（１９６３年）は必読書です。ニュルンベルク裁判とは別に、イスラエルによって開廷されたアイヒマン裁判の傍聴記ですが「悪の陳腐さ」の議論は今日まで長い射程を持っています。

日本では従来からアーレント研究は盛んでしたが、21世紀になるとブーム状態になっています。毎年、多くの研究者が優れたアーレント研究を次々と発表しています。アーレントの人生を描いた映画『ハンナ・アーレント』（２０１２年、マルガレーテ・フォン・トロッタ監督）は広く共感を呼びました。

　的場さんはアーレントが博士論文として執筆した『アウグスティヌスの愛の概念』に注目しています。

的場――アウグスティヌス（３５４～４３０年）はローマ時代のカトリック教会の司教であり神学者、哲学者です。『告白』（３９７～４００年）や『神の国』（４２６年）は早くから日本でも知られています。

アーレントは愛や信仰に関するアウグスティヌスの思想を踏まえて、人間の個人の意味と、社会全体の意味を問います。個人と類的存在としての人間の議論は、遠くはエピクロス、スピノザ、フォイエルバッハ、そしてマルクスにおいて問われてきました。フランス革命で政治的に解放された個人が巨大な国家と対峙する局面を想起すれば、国家の暴走や独裁者の出現という問題に遭遇します。民主主義の危機をどう見るかです。

アーレントは「こうした人類の結合関係は、今度は平等性を作り上げるが、この平等性は性質や才能の均一性ではなく、状況の平等性にほかならない」と言います。状況の平等性ですから、機会の平等性と読み替えることができます。平等論ではありますが、自由を優先する思想になるかもしれません。

アーレントはユダヤ教出身ですが、キリスト教の隣人愛に共感する訳です。それはユダヤ人であることがすべての個人の持つ可能性を制約してしまうことへの恐れがあって、むしろ「運命の共有者たち」に期待を寄せざるを得なかったのではないでしょうか。隣人愛を通じて結ばれて形成される社会が、地上のさまざまな困難を乗り越えることができると考えます。

マルクスの希望と革命

――ブロッホ、スピノザ、ヴェイユ、アーレントを経て、マルクスの「希望と革命」ということで的場さんの議論は、「希望なき時代」を生きる私たちの「待ち望む力」を問い返すことになります。「希望なき時代」に、マルクスの「希望と革命」をもう一度呼び起こすことの意義についてお願いします。

的場――特にポストモダニズムと言われる時代を経て、いわゆる大きな議論というのがなかなか問題にならなくなりました。それは当然ながら、時代の変革という観点では、その時代までをシェアしていたような議論というのが前提から崩れていって、「大きな物語」も分解、消失してしまったわけです。

――「大きな物語」はフランスの哲学者フランソワ・リオタール（1924〜1998年）の言葉です。ポスト・モダン、大きな物語の終焉を説きました。日本ではフランシス・フクヤマ（1952年〜）の「歴史の終わり」という表現が有名です。

的場――そのような流れの中でどうしたら大きな議論、グランド・セオリーを復活させることが出来るのかを考えないといけない。グランド・セオリーは本当にもう古臭いのか。どんなに古ぼけても、時代の転換期には次なるグランド・セオリーを模索しなければならないのではないか。グランド・セオリーと言うと、マルクス主義を念頭に置く人が多いかもしれません。日本でも1989年以前はマルクス主義、マルクス経済学が一世を風靡していました。私よりも上の世代は、みなさん「マルクス主義者」です。そして1991年以後は、マルクス主義から立ち去っていったわけです。

　問題はマルクス主義ではありません。私たちが生きるこの資本主義世界で資本主義の変容に直面して、どのような希望を見出せるか、しっかり見極められるかどうかです。

　時代も思想も変化していきます。システムも変化します。ユートピアでも必ずそれが変化していく。変容しながら、全く予想だにしなかった力に変わっていくのが歴史だと思います。

　例えば1883年にマルクスたちが予想したように世界が進んでいた。その後は全然違います。偶然というか、レーニンが登場しロシア革命が起きます。その後もどんどん予想外の出来事が起きていきます。その中でやはりその時代をどうやって見るのか。今の時代はその限りにおいて、マルクスの見方を今の時代でしっかり理解することが重要です。

――マルクスの言葉に依拠するのではなく、マルクスの方法論を理解する。そのことの重要性はずっと指摘されてきましたが、なかなか難しい。

的場――大抵の人は、最初のマルクスへの入り方が悪いんです。マルクスは大学の先生みたいで難しい議論だと考える。そういうもので理論武装して、何かもう一つの議論を組み立てて、それでマルクス研究者は権威的になっていく。

マルクスの論稿のほとんどは同時代の現象を分析しています。その事象が一体どうなるかということを丹念に調べて、その行方を見ながら書いていくのがマルクスの方法だったのです。ジャーナリストとしてのマルクスに注目したのはそのためです。

今、私たちが直近で直面している問題は少し前まではとても理解できなかった。それは19世紀までは素朴に西ヨーロッパで近代の文明が発展したので、西ヨーロッパやアメリカの議論を何も考えずに日本に紹介します。イギリスやフランスで高度な資本主義が発展し、それに到達できなかった国は遅れているとみなし、追いつくために西欧文明を輸入したわけです。しかし21世紀の現在、本当にアメリカとイギリスがトップだと言えるでしょうか。世界は大きく変化し、西欧が文明を引っ張るとは言えなくなっている。とりわけ中国がどう成長していくか。インドが社会主義になる可能性はどうか。いろいろ考えられます。アジアの国も多くは資本の蓄積と資本の運動という点では資本主義そのものかもしれません。それでも登場している主要メンバーがずいぶん変わってきました。こんな時にどう考えるかというところまでを考えていかないといけない。

　未来というものを一つのワンパターンの思考で、まるでマシンから生まれるかのように未来が成立するか。アメリカが衰退する中で未来はどうなるか。私たちは今そうした情況に直面している。
――イギリス、フランス、ドイツ、そしてアメリカへという資本主義の発展の変遷のことが出ましたけれど、的場さんがどこかで紹介していた「北京のアダム・スミス」という言葉がありました。今や北京が資本主義の中心地だという視点で分析をしている研究者がいらして、それを使って的場さんが書いていたことがあったと思います。

的場――アリギの考え方を紹介します。ジョヴァンニ・アリギの『北京のアダム・スミス』（作品社）です。アダム・スミスがアジアをどう見ていたのかという書物です。

　スミスの『国富論』「第4編重商主義批判」の中の小さな注を引用して、ほとんど見落とすような視点から、アジアの可能性を展開するのです。ヨーロッパの資本主義はある意味、特殊なんだと言っているところです。ヨーロッパのように小さな国が存在していて、相互に利益の収奪を繰り返すような地域では常に戦争というものが存在する。そしてつねに海外に植民地を求め、収奪を行わざる得なくなる。だから重商主義はある意味ヨーロッパに特徴的であると言うのです。

　しかしアジアのように、大きな国があって資本蓄積が自国の中で行われる所では、海外に植民地を求め海外に飛躍しなくても自国内で資本蓄積できる可能性がある。残念ながらヨーロッパにはその可能性がないので、ヨーロッパの資本主義はある意味で本来の資本主義とは少し違う。これは慧眼です。と同時に一つの見方として、スミスはヨーロッパ的な見方が未来の姿であるとは言っていないということです。またヨーロッパ的な世界は、ある意味で小国の集まりの中で生まれた不幸な世界であったというわけです。だからもし別の資本主義があれば、別の資本主義があり得るというわけです。

ヨーロッパは小さな国で資源もなく何もなくて、植民地を必要とした。植民地を収奪していくために戦争が生まれます。つまり戦争というものが西欧の発展にはずっと結びついていた。そうではない資本主義がもしあるとすると、それは何なんだろうと誰もが考えます。そこだけ見ると日本もそうですね。英仏と同じように隣の国を侵略していく。常に戦争というものを求める。これはアイディアとしては「資本主義と言っても違いがある。違う資本主義がある」と言っているに等しいのです。違う資本主義——マルクスの方法論だけでは分析できない資本主義があるとすれば別の方法が必要になります。そういう問題も提起してると言えます。

将来社会構想をめぐって

——将来社会構想の青写真を具体的に示すのは無理としても、将来社会構想のための舞台と言うか、条件について論じることが出来ると思います。

的場——条件というのは今までの歴史的な経緯のことですよね。私どもが今ここまで来た経緯というのは、基本的には資本主義社会は飽くなき無限の蓄積願望によって発展するということです。さらにそうした情況が続けば自然の破壊が起こり、地球が耐えられなくなる。資本蓄積、剰余価値の追求をどこかで諦めるしかない。こうした意味での歴史的条件が今出ている。また資本主義が生み出した中央集権国家として国家も問題にせざるをえなくなっています。国民国家は民族を作り上げ、言語統制をし、私たちを一つの鋳型に入れてきた。そこに他国に対する憎悪、愛国心や侵略や、そういう問題が生まれてきました。

今の危機的状況は大国主義的な布置《ふち》によって生まれています。こうした大国主義的愛国主義が今後なくなっていかないと、戦争への不安が増大します。大国への追従と一方で小国への差別を呼び込んでしまう。差別を生まないためには権威主義的国家体制が変わらないといけない。そう考えるとプルードンの考える反権威主義的思考は今でも参考になります。権力や権威ではないシステムを追い求める必要がある。それがどういう形なのかというと、やはり国家の解体を想定することになります。各集団やそこに私たちが参加をする。経営参加とか積極的に自主参加していく。また資本主義的合理性をどうするかですね。今まで合理性に基づいて経済を作ってきたので、その合理性すらも突破していかないといけない。

——先ほどはブロッホの希望とか愛というフレーズでしたけど、的場さんは生産手段の社会化のところで「慈しみ」という言葉を使っていたと思います。今触れたことに繋がると思うのですが。

的場——マルクスの議論はこうです。分業をすると人間の能力が一面的になり、人間が疎外される。それは確かに分業の持っている一面なんです。でも実際に分業の中でそうなるとばかりも言えません。自分が怪我をしないように、朝来たら自分の道具をちゃんと掃除しないと、ちょっとでも汚れていると怪我をするかもしれません。

一人一人が隣の人間に声かけをしないと、声がうまく通らないと、お互いにバッティングする。こういうことを現場の労働者たちはしっかり理解してやっている。マルクスが言うような分業批判というのは確かに一理あるけれども、ただ一方で分業には人間を有機的に結びつけることもある。ここに生産者共同体のイメージがあります。会社を自分たちのものにするにはどうしたらいいか。組織をどうするかという問題ですが、壊すわけにはいかない。これを自分たちのものにするために、経営参加するとかといった自主管理的問題を議論しなければならない。

例えば国有化の問題ですが、「明日からこの会社は国有化します。ですから皆さん好きに使ってください」と言っても誰も信じない。国営企業の方が権威的だからです。国のものは私たちのものじゃないという気持ちを持つのは、その権威主義にあります。社会的所有という概念が国有ではないというのはそこにあります。そうすると所有を社会化するというのは、会社という組織を取り戻す作業を伴わねばならない。自らのものとして参加し、慈しまなければならないのです。

人々がしっかりそこに参加できる権利を持ってなければならない。ソ連型の国有を社会的所有と考えていた時代がありましたが、それは違う。ソ連研究でそうした意味での所有を問題にした文献はとても少ないのです。あえて文献をあげると一橋大学の岡稔さんと西村可明さんが翻訳した、シュクレドフの『社会主義的所有の基本問題』（御茶の水書房、１９７３年）です。ソ連では国営化は実現したけど、社会的所有は基本的には実現していない。これを実現するにはどうしたら良いかは、未だに難しい問題なのです。

――近代的所有概念へのプルードンの批判との関連では、近代的所有が日本においてどのように成立したのか。どのように機能したのか、あるいは機能しなかったのか確認しておく必要があります。
的場――森林などの共有地は昔から特別の慣習法によって守られてきました。そこに近代的法律である私的所有権が入ってきますね。こうした共有地は一方でそのまま国有地になってしまいます。共有地とは、はっきり言って誰のものでもない。村人が共通の利益をもつ地域を共有地にしていたわけです。マルクスは『ライン新聞』時代にこの問題に取り組みます。モーゼル川の森林伐採の問題です。マルクスの父親が担当した裁判でしたので、彼もよく知っていたわけです。

その裁判に関する多くのことを、子ども時代のマルクスはずっと見てきたはずです。それまで独立した地域であったラインラントがナポレオンの敗北後、ウィーン会議によってプロイセンになったことで起こった問題です。この地域にプロイセンの法律が適用されたわけです。プロイセンはこの共有地を国有地に変えていきます。ただ農民たちがそれを理解できていない。だから共有地である森や山に入って薪をタダで拾ったり、家畜を放し飼いにしてそこで木の実を食べさせたりしている。しかしプロイセン政府は「この土地は国有地につき入るべからず」と命令し、農民の生活の糧を奪ったのです。慣習法で認められていたことが、プロイセン法では認められない。これを問題にしたのが『ライン新聞』の記事だったのです。彼はコブレンツに住む人物の報告というかたちでそれを掲載しました。これがプロイセン政府を怒らせたわけです。

共有地という問題は近代以前の法律だが、ある意味人間の重要な問題を示しています。私的所有権は人間が個々バラバラになった社会を前提にしています。しかしそれまでは個人は共同体に住んでいたので、バラバラではない。しかし法律は共同体の成員をバラバラな個人として対処する。まさにこのインディヴィデュアルでものごとを考えて、インディヴィデュアルな世界に作り変えていくことが近代だったのです。近代は徹底して人間を個人に分離し、個人に分離することによって個々人がそれぞれの人格として、他の人格に対して対峙する。たとえそれが親であろうと一個人として対峙する。

ただ現実には割り切れない部分が残ったわけです。個々人としての枠に収まりきれない問題——それが共有地だったわけです。誰のものでもないし誰も自由にならない共有地、これを多くは国家の所有に変えていった。

これは近代国家が大きくなる原因にもなります。このやり方は国家の中だけでなく、海外の植民地においても実践されていきます。一番ひどい例はヴェトナムで行われたフランス人による共有地の獲得です。ヴェトナムの共有地をいったん国有地にする、それをフランスは払い下げて大土地所有者になる。これが植民地政策です。大規模共有地に目をつけ、それを国有地化して払い下げる。日本の三菱の創業者岩崎などのやり方と似ていますが。

フランスがヴェトナムを植民地にした方法がこれです。ですから圧倒的な地域がフランスの大地主のものになります。元々誰のものでもない所有地がたくさんあったために、フランスの資本家がその地主になるのは難しい話ではなかったのです。

まさに近代化が進む中で、誰のものでもない土地が国有地化され、それが払い下げられて官僚などの手に渡る。それが農民の慣習法の権利と対立して大きな問題を起こしていた。それが森林盗伐問題です。こうした近代化の中で、それまで培った昔の権利をどうやって守るのかが重要な問題です。この世界には個々人に解消できないようなものがたくさんある。すべてを個人に分解したことがそもそも大きな間違いだったわけです。近代的法律はそういうものを無視している。近代法が見過ごしてしまった共同の権利――それに対する復興をどうするか。

――日本では北海道でまさにそれが起きたわけですね。それまで誰のものでもない土地とされていたものを1869年に北海道と名付けて、日本国の領土にしたわけです。蝦夷地という名称が使われていましたが、アイヌモシリの一部です。これは日本政府の一方的意思表示でできたことになっています。アイヌ民族に何の断りもなしに、知らない間に勝手にそうなったわけです。だけどそれが成立しているという前提で動き出すので、後に国有地払い下げが起きるわけです。明治14年の政変という東京で起きた事件は、基本的に北海道の国有地を資本家が山分けをするための事件だったわけです。

主に屯田兵として各地から北海道に移住したのですが、屯田兵は何をやったかというと、お役所に行って地図の上で線を引いて「ここの森林を開発します」とお約束するんです。北海道庁とお約束するわけです。その文書にサインした日から一定年数以内にそこを畑にすれば自分のものになる。原野を開墾して、道路や川・用水路を作り、畑を作る。そうやって膨大な畑を手に入れたのが私の4代前です。私は1870年頃に札幌周辺地域に入植した屯田兵の子孫です。一族には開墾の苦労話が残っていました。ですから私の父親までは地主だったんです。つまりアイヌモシリへの侵略者です。ただ第二次大戦後の農地改革で父はすべてを失ったので、私が生まれた時には何にもなかったんですが、私は大地主の子孫なんです。

このため北海道の約50％が私有地になっています。残りの約50％は国有地です。「だからアイヌ民族に返せ」という話ができないか。さすがにそれはできないという意見が強いです。すでに私有地になっているところをアイヌ民族に返還できません。国有地も長年、国の財産ですから、返還するとなると大変な話です。

しかし先住民族の権利として、土地や資源に対する権利は２００７年の国連先住民族権利宣言に書いてあります。宣言第26条1項は「先住民族は、自らが伝統的に所有し、占有し、またはその他の方法で使用し、もしくは取得してきた土地や領域、資源に対する権利を有する」としています。同条2項は「先住民族は、自らが、伝統的な所有権もしくはその他の伝統的な占有または使用により所有し、あるいはその他の方法で取得した土地や領域、資源を所有し、使用し、開発し、管理する権利を有する」としています。

さらに宣言第28条1項は「先住民族は、自らが伝統的に所有し、または占有もしくは使用してきた土地、領域および資源であって、その自由で事前の情報に基づいた合意なくして没収、収奪、占有、使用され、または損害を与えられたものに対して、原状回復を含む手段により、またはそれが可能でなければ正当、公正かつ衡平な補償の手段により救済を受ける権利を有する」としています。土地の回復と補償の権利です。世界各地で問題となってきました。オーストラリアでは先住民族アボリジニに土地を返還する話が出ました。そうであればアイヌ民族への土地返還も検討対象のはずです。国有地なら返還できるのではないか。返還が難しいとしても、かつて奪われた土地についての補償を検討するべきです。日本の裁判所がどういう判断をするのか、返還請求訴訟をやってみる価値があるのではないかと思います。ただ日本の裁判所が民族集団の土地所有という概念を受け入れるかどうか、難しい論点が残っています。アイヌ民族の土地を返せという訴訟は、日本の裁判所では成立しないかもしれません。それをどうやって認めさせるか、その法理論をどうするかは興味深い論点です。

的場――近代の問題として、文書による事実証明という問題があります。世界の中で文字を持つ民族はかなり少ない。ジャレット・ダイヤモンドの『銃・病原菌・鉄』上下巻（草思社、２０００年、２０１２年）の中に書かれていますが、文字を拒否した民族がいたのです。実証史学は文書を大切にしますが、文書にのっていない歴史が多くある。西欧や東アジアは文書資料の歴史があるが、そうでない地域は多い。とりわけ西欧の近代は文書主義ですから、文書がないということは存在しないということを意味してしまいます。植民地化した地域や支配された地域は、たとえ存在していたとしても、抹消されてしまいますから、都合のよい資料だけが残ることになります。先住民族の問題はまさにこの点にあると思います。

ジョン・ロックが『市民政府二論』（１６８９年）で労働による土地所有を展開したことで、17世紀以降の西欧によるアメリカ植民地化は、土地を耕作しないインディアンの所有が認められず、白人の所有地になったという経緯があります。ロックは労働という概念によって所有の意味を説明したのですが、それはあくまでも西欧の勝手な話で、労働によらない所有があった。労働価値説というのは資本主義が自己を正当化するための道具です。だからマルクスは資本主義社会の労働価値説による価値法則を解明し、それによる支配を批判したのです。マイノリティ社会は共有地の問題同様、近代の論理の外にいたといえます。

個人と集団の近代――ヘイト・スピーチの場合

――近代的所有は個人所有ですが、個人と言っても法人その他の集団による所有も含まれます。共同体所有や国有を完全に排除するわけではありません。理念的に、又は基本形態としての個人所有です。近代法の主体として個人と集団の関係はなかなか微妙で、フランス革命時のルシャプリエ法が中間団体の復権を抑止した歴史的事実がありますが、それが一般的とは言えません。個人、中間団体、全体の3者関係を想定するのが一般的です。

ところが日本では近代法における個人と集団の関係が全く理解されていません。初歩的知識すら持っていないと疑わざるをえないのが実状です。ヘイト・スピーチの議論がまさにそうなんです。日本における議論はそもそも近代というものをおよそ理解していません。

ヘイト・スピーチの議論の焦点は刑事規制の可否です。何が論争の的になっているかというと、集団に対するヘイト・スピーチの処罰問題です。名誉毀損罪であれば、AがBに名誉毀損する。これが名誉毀損の基本的な理解です。つまり個人と個人の関係です。ヘイト・スピーチの場合に「◯◯民族はこうだ」という形で、個人ではなくて集団を名指しして誹謗中傷するので、日本では「ヘイト・スピーチは犯罪にできない」という主張が登場します。「◯◯民族はこうだ」という形の侮辱や中傷や、それに基づく差別の煽動は典型的なヘイト・スピーチですから、ヨーロッパでは犯罪になるわけです。集団侮辱罪があります。欧州諸国をはじめ世界の多くの国々では、犯罪になるのが当たり前なんです。

ところが日本では犯罪にならない。その理由を憲法学者が何と説明するか。一つは表現の自由ですが、その背景として個人主義だと言い出します。

「日本国憲法は個人主義の憲法なので、個人を名指ししたものだけが犯罪になる。個人ではない集団を保護することはない。だから集団対象のヘイト・スピーチは処罰できない」――何人もの憲法学者が論文でこのように書いてます。的場さんの母校の憲法学者もその1人です。何度読んでも意味が分かりません。絶句するしかない異様な主張です。個人主義だから集団の法益を守ることができないというのは、論理も何もない。「◯◯人の名誉は守れない。それは個人主義に反する」と魔訶不思議なことを言うのは人種民族差別を擁護し、ヘイト・スピーチを擁護することしか考えていないからです。

的場——近代個人主義もヨーロッパ発の発想です。

——イギリス、フランス、ドイツ、イタリア、スイス、スペイン、ベルギー、オランダ、どこへ行ってもヘイト・スピーチは犯罪とされています。常識中の常識です。ところが日本の憲法学者は「日本国憲法は個人主義だからヘイト・スピーチは処罰できない」と主張します。ヨーロッパ近代における個人と集団の関係が前提になって法律上の個人主義が出てくるはずです。日本で言ってる個人主義というのは全く意味が違うんです。

　ヨーロッパ的個人主義から言えば、集団の責任を個人に問うことはできません。団体責任や連座は例外的です。しかし集団の法益を保護することはできるわけです。個人の利益も集団の利益も守ることができます。ヘイト・スピーチ以外のあらゆる分野で個人の利益も集団の利益も守ります。ヘイト・スピーチの議論になったとたんに「集団の利益は守れない」と言い出す。「個人主義だから集団の法益を守ることができない」という奇妙奇天烈な結論が唱えられます。憲法学者のトンデモ理論です。日本では近代法における個人と集団の関係がおよそ理解されていない。憲法学者が言う個人主義は近代個人主義とは別物です。これは法的にも未だに解決できていません。

――近代個人主義を理解できない法律家は近代的所有も理解できないでしょう。個人と集団の関係を未だに解決できない。ただ差別やヘイトの根源としてのレイシズムも近代の所産です。近代における個人主義とレイシズムの関係が気になります。

的場――人種や民族をめぐるイデオロギーにはさまざまな形態がありますが、今日の白人優越主義や西欧中心主義が成立したのは19世紀前半のイギリスです。ルネッサンスや大航海時代を経てイギリスで生産力が増大し、技術が発展し、政治的にも民主主義が確立していきます。いわば世界史を牽引したイギリスで、アングロサクソンこそが人種的に最先端であるという発想が生まれます。18世紀以前はこうした認識が共有されていたわけではありません。近代の人種主義（レイシズム）は単にイギリス人の主観において成立したのではありません。生産力の増大、技術の発展、民主制度の確立という客観的な背景のもとに科学という客観的論理をもって成立します。

科学的な人種主義を展開した代表がアルテュール・ド・ゴビノー（１８１６～82年）です。主著の『諸人種の不平等に関する試論』（１８５３～55年）において白人至上主義を提唱し、アーリア人を支配人種として打ち出しました。ゴビノーはフランス国籍でしたが、ドイツ系だったためかゲルマン人を最上位に置いています。人種こそが文明の淵源であり、黒人、白人、黄色人の差異は自然が生み出した障壁であり「混血」によって文明が退化すると考えました。ゴビノーによると白人が最上位に位置するのですが、その中でもトップにいるのがゲルマン民族（ドイツ人やイギリス人）、次にラテン人（フランス人）、その下にスラブ人が続きます。アジアの黄色人である日本人や中国人は白人の下に位置し、最下位は黒人とされます。

――日本人も同じ思考を身に着けました。脱亜入欧と称して白人世界に追いつこうとし、参入を目指しました。第二次大戦の敗北によって、追いつき戦略が破綻したにもかかわらず、脱亜入米に切り替えました。南アフリカのアパルトヘイト時代に日本人は「名誉白人」と呼ばれて傲慢な振る舞いをしました。皮は黄色いが中身は白いバナナへの憧れという形で、日本人の自己認識の中に白人至上主義が入るという戯画が成立した訳です。

的場――黄禍論も19世紀に起きました。

――20世紀初頭にカリフォルニア（アメリカ）で起きた日本人に対する黄禍論を思い出しますが、19世紀からですか。

的場――日清戦争（1894～95年）で、アジアの小国である日本が清を破ったことが一つの契機です。ドイツ皇帝は驚いてロシアに警告しています。日本の脅威に警戒を呼びかけて、ドイツとロシアの連合で日本と戦おうと言うのです。続いて日露戦争（1905年）で、日本がロシアに勝ったことで黄禍論がヒートアップすることになります。

カリフォルニアでも日本人以前に中国人労働者の増加に対して黄禍論が登場しています。イギリスは日英同盟を締結して、ロシア封じ込めのために日本を利用していましたから、必ずしも黄禍論に傾いていませんが、ドイツ、ロシア、アメリカは黄禍論に向かうことになります。最大の要因は移民労働者相互の対立にありました。アジア移民がヨーロッパからの移民の職を奪い、また賃金を下げる原因になったことです。こうして見るとわかるように黄禍論は人種主義（レイシズム）であるだけでなく、労働問題、経済問題だったのです。

第一次大戦後、日本人など黄色人種のアメリカ移民は禁止されましたが、白人種の移民は認められていました。移民問題は労働問題でしたから、アメリカの労働組合運動からもアジア人移民への批判が出ていました。欧州からの移民の仕事を確保するために、アジアからの移民流入を阻止しようとします。もちろん1924年のアメリカの移民法で日本人もアジア人に入れられ移民が禁止されたことに日本人は憤慨しました。これは日本という国が西欧化の中で屈折した証拠です。日本人は自らがアジア人であることを恥じていたわけです。

――カリフォルニアで低賃金で働く日本人移民が増えることで、欧州からの移民の賃金を引き下げることになるわけですね。労働市場における競争者と見られることで人種主義と人種差別が加速します。

1919年に日本政府が国際連盟に「人種差別撤廃提案」を出しました。これが世界初の提案だったとされ、「日本こそ世界初の人種差別撤廃案を提出したのだ」と言われます。その評価としては次の2点を補足しておく必要があります。第一に人種問題が労働問題、経済問題であったことが見落とされています。第二に日本は1910年に韓国併合を強行し、朝鮮人に対する植民地支配と差別を強めていました。日本人に対する差別だけに反対したのであって、黄色人種全体への差別に反対していれば、もっと良かったです。実際には朝鮮人差別を続けました。このことは現在にも響いています。

希望だけがない国・日本で

――『待ち望む力』の帯には「『希望だけがない国』日本で希望を語るために、いまなにが必要なのか」と書かれています。「希望だけがない国」とはどういう意味なのか。それでは私たちはどのように希望を語るのか。

まず前者の「希望だけがない国」ですが、すぐに思いつくのは１９９０年代から続く「失われた30年」です。経済成長が鈍化し、それどころか右肩下がりになっている。経済成長の鈍化、平均賃金の逓減、円安、物価高といった言葉を次々と並べ立てることができます。しかも「超」という文字を冠にした高齢化です。いまや国民の10％が80歳以上という、人類史上類例のない高齢化社会になりました。それに対して政府はほとんど何の対処もしてこなかった。

的場――希望を語ることや、未来志向は経済成長の中から起こっていくのですが、それが当たり前になると未来志向が次第に減少し、やがて衰退期を迎え、希望が語られなくなり、自虐化していきますね。失われた30年は日本経済の衰退ですが、日本経済が衰退しただけでなく、グローバル化の中でアジア経済が発展してきたことで、衰退はより明確なものとなってきました。正確に言うと日本経済は衰退ではなく停滞していたのですが、ほかの国が成長したことで、衰退に見えたのです。

皮肉ですが、もっと落ちると逆に希望が見えてくるかもしれません。邪念を断つというか、初心にもどるというか。カタストロフの後、まったく新しいものとして立ち上がることができるかもしれません。革命とはまさにそんなもので、明治維新もそういうユーフォリアを持ったはずです。ただ明治の近代化の失敗が今の日本の失敗の原因ですから、まったく新しい発想で未来を見つめねばならないと思います。発展しているアジアで一人だけアジア人ではなく、名誉白人として誇りを持つのではなく、アジア人に徹すべきでしょうね。

――アジアが私たちの鬼門でありつつ、希望である。それでは私たちはどのように希望を語るのか。どこに次世代への希望の芽を見出すのか。第四章でもこの続きを考えたいと思います。

第四章　希望と絶望の世界史

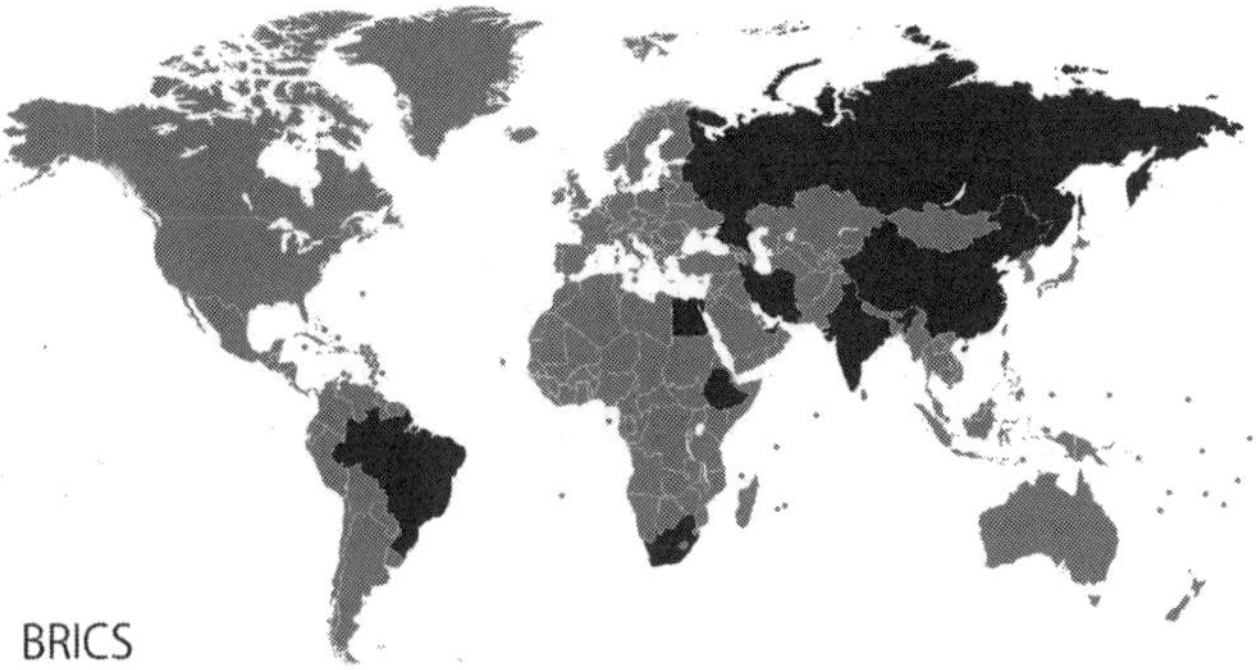

BRICS

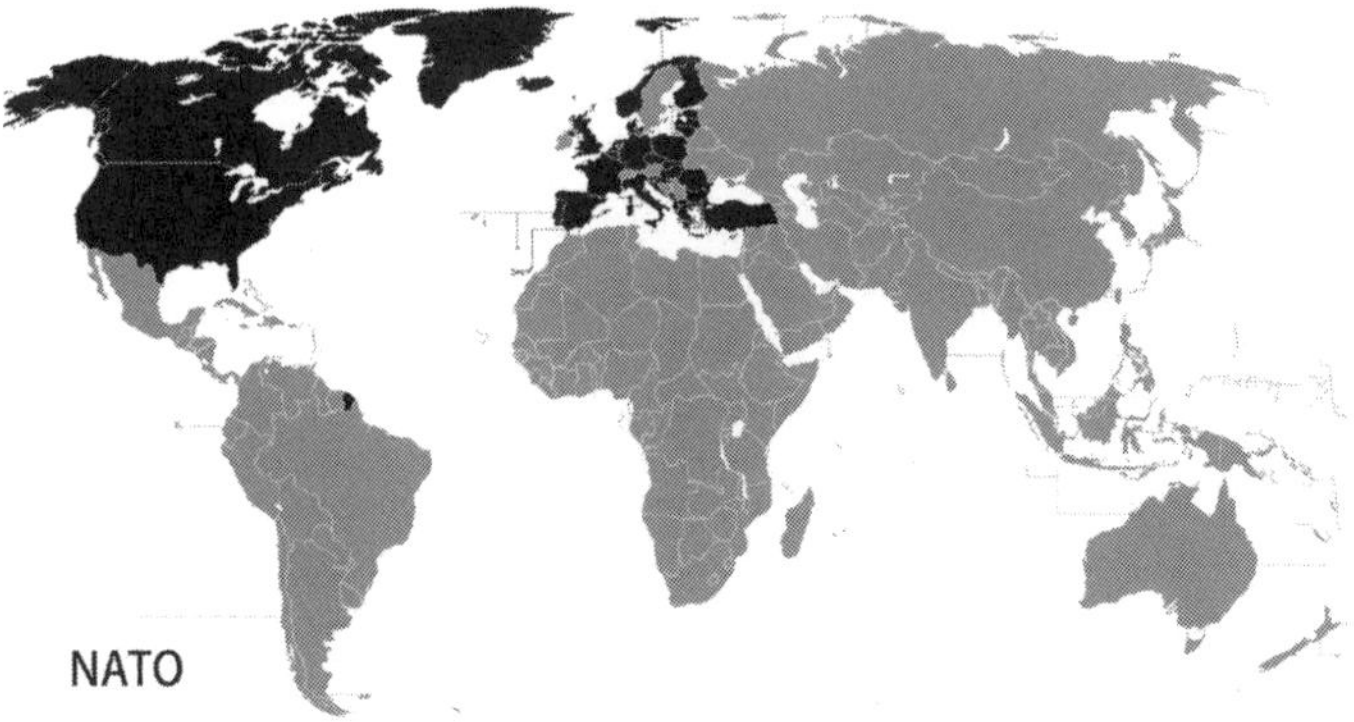

NATO

——2023年10月7日のハマースによるロケット弾攻撃と人質誘拐から始まって、イスラエル軍による猛烈なガザ空爆と地上戦でハマースの拠点が次々と破壊されています。と言うよりも実際には病院、学校、宗教施設に対する無差別攻撃が続いていて、膨大な一般民衆が犠牲になっています。死者が3万人に達すると言われます（24年2月11日現在）。7割が女性と子どもと言われています。本当の数はわかりません。瓦礫の下にどれだけの人々が亡くなっているでしょう。

国際世論は分裂していますが、「ガザ・ジェノサイド」を非難する声が高まっています。パレスチナの人々はジェノサイド的状況に苦しみ続けてきました。現代世界におけるパレスチナ・イスラエル紛争、今回は直接的にはハマースという形ですが、この紛争をどう見るかから始めたいと思います。

的場——ウクライナの問題が解決していない中、こういう形で23年10月7日に新しい戦争が始まりました。10月7日と言えば北京で一帯一路の会議が開かれている最中で、ハマースはタイミングをあわせたのかもしれません。

——一帯一路とは2017年に中国が打ち出した構想で、中国と中央アジア、中東、ヨーロッパ、アフリカを繋ぐ広域経済圏です。「一帯」とはシルクロード経済ベルトのことで、中国からユーラシアを経てヨーロッパへの道です。「一路」とは21世紀海上シルクロードで、中国と東南アジア、南アジア、アラビア半島、アフリカを結びます。

的場——最近では一帯一路というかブリックス（BRICS＝ブラジル、ロシア、インド、中国、南アフリカ、さらに2024年1月、UAE、サウジアラビア、イラン、エチオピア、エジプトが加盟）というか、「新興国」がむしろイニシアティヴを取って、経済的にも政治的にも軍事的にも世界を変えていくと思うんですが、そういう状況の中で爆発した。戦線が二つに拡大したのが今の状況です。

ウクライナとパレスチナ

的場――全く違うところで起きた事件のように見えても実際には一つ関係しているんですね。

――両者の関係はなかなかわかりにくいと思いますが。

的場――19世紀の地図を見てみればオスマン・トルコの版図に両方とも入るんですよ（本書38頁地図参照）。オスマン・トルコの1番北の地域を見ると今のオデッサ、それからクリミアですけれども、まだ18～19世紀、あのあたり黒海沿岸の方はオスマン・トルコが取っていて、ルーマニア、セルビア、トルコ、それからクルド、アルメニアといった地域から、さらに南に下ってサウジアラビア、パレスチナ、そして時にエジプトもオスマン・トルコの領域でした。オスマン・トルコの時代だと、同じ国の中で戦っていることになるんです。そういう意味では根が同じです。何が根かというとオスマン・トルコの崩壊です。15世紀位から中東から東欧、このあたりはある意味では安定していました。18～19世紀、オスマン・トルコが崩壊し始めた時、そこが真空状態になりました。真空状態になったことが、20世紀や21世紀に起こる問題の火種になったわけです。

もう一つウクライナ問題がイスラエル問題と深く関係しているのは、人口的にいえば、この地域にやがてイスラエルに住み着くユダヤ人が多く住んでいたことです。ユダヤ人の分布図を見ますと、だいたい北の方に上がっていったアシュケナージと呼ばれる人たち。北というのはアルメニアやグルジアから北に上がっていく、今のロシア、ウクライナ、この辺りにいた人たちです。

――ユダヤ人は通常、アシュケナージとセファルディム（セファラード）に区分されます。

的場――マグレブ地方というかアラビアから北アフリカ、そしてイベリア半島に上がっていった人たち。これはセファラードですね。西欧には、あまりユダヤ人はいなかったんですね。人口的に少なかったのです。これがある時にユダヤ人がやってくる。その一つが15世紀のいわゆるイスラム教がスペインから離れてアフリカに移動した、リコンケスタ（レコンキスタ）という問題です。ユダヤ人はそこに残ったので、これを改宗させるという問題が起こった。しかし改宗がうまくいかなかったので追放します。例えばスピノザの祖先はオランダにやってくる。それでもヨーロッパはユダヤ人に対して厳しかったんです。だから人口がさほど増えていない。ゲットーに押し込められていた。

――欧州へのユダヤ人の流入・移動に際して地域によって対処が違った。人々の移動は民族、言語、文化の接触をもたらす。文化の多様性を生む一方で軋轢も生まれます。

的場——その次に起こる大きな事件が19世紀のポグロムです。どこで起こったかというとウクライナ地域です。最大の理由は、この地域にあったオスマン・トルコの崩壊です。この地域で民族独立という国民国家を求めて立ち上がりはじめたわけです。

国民国家は曲者なんですよ。なぜ曲者かっていうと、イギリスやフランスというのは長い間かけて民族や言語を統一していって、それなりに納得できる国民国家を作っていったんですけれども、これらの地域の国家は多民族国家の中で長く生きていたので、同じような国民国家の方向には進めない。国民国家を強引に創造するしかないわけです。その中で弱小民族というのは当然追放の対象になる。そのきっかけを作ったのはクリミア戦争です。

1853年に起きたクリミア戦争は、フランスとイギリスが弱まっていたオスマン・トルコに対して自分の領土を取る。そして黒海におけるロシアの権益を潰そうとした。場合によってはロシアが南下して、ロシアがオスマン・トルコに代わる大国になる可能性もあった。それを潰してフランスとイギリスがイニシアティヴをとったことでこの地域に大変動が起きたんです。何かというとウクライナなどの独立運動です。それまでなかったウクライナという国の独立運動が突然出てきた。それまでポーランド独立運動はあったんですよ。ずっと長いこと存在していた国でしたから。ウクライナもその付属として存在していたわけですけれども、それまでその地域を支配していたのは、リトアニア・ポーランド王国であって、ウクライナ・ポーランド王国ではないのです。

ポーランドの中にウクライナは入っていたから、ウクライナ独立運動などなかった。むしろガリツィアにウクライナ独立運動がありました。ところがクリミア戦争でロシアが負けたことによって、その支配下にあると思われたウクライナ人たちが自らロシアに対する独立運動を始める。これが後々問題を起こします。独立運動はウクライナ人を創設する過程で非ウクライナ人を作り出した。国民の統一過程はそれ以外を追放する過程ですね。同じことがロシアでも起こった。ロシアでも民族独立運動を作ってナショナリストといわれる人たちが出てきて、少数民族がどんどん追放されるようになってくる。虐殺または追放ですね。

——北のスウェーデン帝国の縮小・弱体化と南のオスマン・トルコの崩壊に伴って、ロシアが帝国化していく過程でイギリスやフランスが介入した。ちょうど近代化と言うか、国民国家化や資本主義の発展の時代になる。地域、言語、宗教などの微細な差異に着目して、それぞれの民族性を独自のものと意識していきます。他者性の認識が自己の独自性の認識を加速します。

的場——クリミア戦争で負けたロシアは改革によってなんとか復興しようとするんですね。しかしうまくいかない。さらに改革を試みるのですが失敗してアレクサンダー2世が暗殺されて、アレクサンダー3世になった1880年代、いよいよロシアもユダヤ人をポグロムという形で追放するようになる。ウクライナという民族は存在していなかった。コサックやポーランド人、ロシア人の中にユダヤ人がたくさん存在していました。彼等を追放しようとします。追放されたユダヤ人は、当時人口が世界で1000万人ぐらいいると仮定すると、500万人以上がここに住んでいたことになりますね。彼等は大量にオーストリア、ドイツ、特にオーストリアですね。流れ込んでいくんですよ。そこでオーストリアのウィーンのユダヤ人社会は大変な騒ぎになりました。ウィーンに大量にユダヤ人が来たことによって、オーストリアで今度はアンチセミティズム、反ユダヤ主義が起こってくる。

——ちょうど最近、野村真理『ウィーン　ユダヤ人が消えた街』（岩波書店、２０２３年）が出版されました。以前にも同『ウィーンのユダヤ人』（お茶の水書房、１９９９年）、『ガリツィアのユダヤ人』（人文書院、２００８年）があります。

シオニズムの始まり

的場——この問題を解決するために、ブダペスト生まれでウィーンで活躍したテオドール・ヘルツル（１８６０〜１９０４年）がユダヤ人の新しい国を作りたいと運動を始めました。著書『ユダヤ人国家』（１８９６年）を出版し、翌１８９７年にスイスのバーゼルで最初のシオニスト会議を開催しました。これがシオニズムになっていきます。シオニズムを基にユダヤ人がどこかに移民するしかない。

——いろんな案が登場しました。ヘルツルの小説『古く新しい国』（１９０２年）ではパレスチナだけでなく、南アメリカのアルゼンチンやアフリカのウガンダも候補地でした。それ以外にもテキサス（アメリカ）、マダガスカルも候補に挙げられたことがあります。

的場——いろんなところが提案されたのですね、結局それらがダメになった。ここにイギリスが出てくるのです。オスマン・トルコが崩壊した跡地にイギリスがユダヤ人たちを定住させようとする。パレスチナ地域に最終的に送るのが良いだろうという方向がでてきて、これを支援したのがイギリスのロスチャイルドなどのユダヤ系のお金持ち、それからアメリカのユダヤ系のお金持ちですね。例えば日露戦争の時に資金援助したシフとか、そのあたりからも出ていますね。それでパレスチナへの移住となる。

——初期の移民は、あくまでも土地を買って入植するということであって、ユダヤ人国家を作るという話ではありません。

的場——問題なのはウクライナに行ったユダヤ人たちが大量に西欧に移民してくる。それを送り出すことで「ユダヤ人問題」を解決する。今いるイスラエル人の多くの先祖がウクライナから来ている。彼等はマイノリティであったため追放された。しかし今度はパレスチナ民族というマイノリティを攻撃しているという、こういう構図ができている。

第一次世界大戦が終わる頃、1917年6月にバルフォア宣言が出されます。その年11月にロシア革命が起こるのですね。ロシア革命が起こる直前に出たバルフォア宣言によってパレスチナで国家としてユダヤ人国家を作ることを明確にしてしまった。そのときパレスチナ移民という発想は、もうほとんど消し去られてしまった。土地の購入から国家作りに変わっていくのです。こうした意味でパレスチナ問題はウクライナ問題、ロシア問題、そしてまたイギリス、西欧社会の問題と深く結びついているのです。

——2000年を超えるユダヤ人の歴史は複雑で、多様に変転します。ポール・ジョンソンの『ユダヤ人の歴史』（徳間書店、1999年）は「4千年の不屈の民族史」としています。レイモンド・シェインドリン『ユダヤ人の歴史』（河出文庫、２０１２年）や市川裕『ユダヤ人とユダヤ教』（岩波新書、２０１９年）も詳細な歴史を教えてくれます。近現代の「ユダヤ人問題」を作り出した過程を見ると西欧諸国の介入が大きな意味を持った。そこから「パレスチナ問題」が作り出される。

的場――複雑なのはロシアとアメリカの立場です。イスラエルをめぐっては数次に及ぶ中東戦争で、お互いがイスラエルについたりパレスチナについたり、ほんとに見るだけで複雑なんですよね。複雑な経緯です。ソビエトがイスラエルを支持していたんですけれども、それがいつの間にか批判の側になる。こういう問題があるのは最初の根源――オスマン・トルコの崩壊によって生まれた東欧、中東の問題が関係しています。この空隙地帯、空いた地帯をどう処理するかということになって、ロシアと西欧が対立し（時にはドイツ圏）、そのいずれもうまく処理できていない。

――オスマン・トルコの崩壊ということですね。崩壊していった内部要因と崩壊させた外部要因があります。外部要因というのは、やはりイギリス、フランスなど西欧資本主義の勃興です。

的場――そうです。西欧資本主義と国民国家とが相携えて両地域を席巻したのです。

――さらにキリスト教とユダヤ教の関係という問題も絡んできます。

的場――要するに、資本主義以前のいわゆる宗教問題というのはキリスト教の問題ですね。でも資本主義が発展し、国民国家になっていくと民族問題がそれに絡んでくる。宗教が民族なら、民族と国家が一致するとすれば、ある宗教、ある民族はその国に住む権利を失うという問題ですよね。中世から近世にかけての宗教問題です。ユダヤ人の権利は、宗教を維持しつつそれが認められるのかどうかという問題で、19世紀西欧ではなんとか解決がついた。しかし一部の国民国家の形成過程の中では、そうした寛容が実現しなかった。そこに住む権利を失うという問題にまで進んでいったのです。

――ウクライナからオーストリアへという話ですが、オーストリア・ドイツを含めて1930～40年代頃のヨーロッパ・ユダヤ人の数が大体600万人と言われてます。歴史家のラウル・ヒルバーグの『ヨーロッパ・ユダヤ人の絶滅』（柏書房、2012年）に登場する数字が600万人です。先ほど的場さんから1000万人と500万人という数字が出ました。600万人というのは、スペイン方面から来た人たちとウクライナ方面から来た人たち両方で、ヨーロッパ全体にユダヤ人が600万人になっていたと考えて良いわけですね。

的場――全員が移動はしてないんです。ウクライナにはその後もずっとユダヤ人がいて、戦後ソビエトからさらに移住します。まだいるんですよ。アメリカに行った人たちもいます。全く違ったところに行った人たちもいます。私はアルジェリア出身の経済学者ジャック・アタリの『ユダヤ人、世界と貨幣――

一神教と経済の４０００年史』（作品社、２０１５年）を翻訳しました。アタリによると、ユダヤ人の人口は19～20世紀、大体変わらなくて１０００万人前後です。今は１２００万人位です。人口の割合で圧倒的に多くいたのはロシア、ウクライナ、ポーランド地域です。ここには長いこといたわけです。中東から追い出されて北上していったため、バランスが崩れたのが19世紀で、それによって欧州になだれ込んできたユダヤ人が後にナチス・ドイツの収容所の犠牲になります。

——ナチス・ドイツによるユダヤ人虐殺が６００万人と言われたこともありました。実際には半分ぐらいはアメリカに渡ったとされるので、迫害されたためにいなくなったのが６００万人ほどです。ポーランドでもナチス・ドイツによる犠牲を６００万と言っていたこともありましたが、その後、虐殺犠牲者は１８０万人と言われています。迫害の被害者が全部で６００万人ということになります。

的場——ナチス時代に既に入植が始まっています。ナチスが政権をとった時に大量のユダヤ人たちがパレスチナに行っている。アメリカにも亡命しています。かなり多くの人たちがアメリカに亡命しています。実際ナチスもすぐにユダヤ人を収容所に押し込んだのではない。最初にやった事はユダヤ人の市民権を奪う事でした。彼らの生計の糧と財産を奪ったのです。私的所有の権利を全部はく奪しました。そのユダヤ人たちを工場労働者として使ったんです。当時ドイツにいた10万人ぐらいか、その人たちを強制労働で利用して働かせる。いわば労働奴隷の状態にする予定だったんです。

　ところがナチスがポーランドに進出したため目算が狂ったのです。１９３９年ですね。ポーランドに進出したことによってユダヤ人の数が一気に増えた。それによってユダヤ人の処遇に困った。工場労働者として使うことができず、結果的に家畜のように「処理」するしかないということになる。最初は収容所に入れるだけだったのです。でもその数も多くなる。私はルブリンというポーランドの街に行ったことがあるんですが、ほとんどウクライナとの国境なんですね。ルブリン郊外のマイダネクに強制収容所があったのです。ルブリンの収容所だけでも相当な数が収容された。その周りにも収容所がたくさんあるのです。なんでこんなにたくさん収容所があるのかって言うぐらいにあったのです。もっと南のアウシュヴィッツ・ビルケナウ（オシフェンチム）収容所がとても有名ですが、あちこちに収容所があったのです。結局残酷な話ですが「処理」を決行するようになる。それはきわめて「合理的な」処理です。それが行われるのは1940年代以降です。彼らも最初からユダヤ人を虐殺する気はなかったと思います。東欧にはあまりにもユダヤ人が多く住んでいたのです。

——ナチス・ドイツの民族裁判所のローラント・フライスラー（1893〜1945年）の思想を研究したことがあります。フライスラーはイエナ大学を出て弁護士となりましたが、1933年、ナチス政権時にプロイセン司法省法務次官を経て1942年に民族裁判所所長に就任しました。フライスラーの基本思考は反ユダヤ主義、北方ゲルマン人種の血と忠誠、指導者原理、民族共同体です。フライスラーの思考はヒトラーの受け売りです。「血を自覚し、血から物を見よ。血のために意欲し、血と闘い、受苦し、勝利せよ、血のために生きよ」というファナティックな思考を、そのまま司法運営と裁判実務に適用しました。それゆえ「闘争の法としての刑法」を唱え、法の目標は「敵を絶滅すること」となります。「絶滅刑法」の敵とは社会主義、無政府主義、ユダヤ人です。「民族の敵を絶滅するための迅速果敢な刑罰」を要請します。

フライスラーが民族裁判所所長になると死刑判決が急増し、１９４２年に１１９２人、１９４３年に１６６２人、１９４４年には２０９７人になります。被告人の50％が死刑です。もっとも有名なのが「白バラ」抵抗運動に対する弾圧です。ショル兄妹やフーバー教授ら6名が死刑になりました。映画『白バラの祈り　ゾフィー・ショル、最後の日々』（２００５年、マルク・ローテムント監督）は感動的な作品です。

的場——東欧におけるユダヤ人問題「解決」のポグロムと同様に、西欧、特にドイツではホロコースト、ショアーが「解決策」となった訳です。

——西欧資本主義が発展していく中でドイツ・ポーランド中央地域ではユダヤ人問題が発生している。フランス・イタリアでもそうだけど、イギリスではそんなにユダヤ人問題が発生していないように見えます。

的場——イギリスは歴史的に長いことユダヤ人を排斥していたのです。排斥の流れは16世紀に始まります。15世紀のドミニコ会修道士トマス・デ・トルケマダ（１４２０～98年）が有名ですが、「スペイン異端審問」です。ユダヤ人をキリスト教に改宗させようとした。改宗しない人を処刑していった。これに驚いた人たちが一旦はカトリックに改宗するのですが（マラノと呼ばれます）、結局また改宗を疑われ裁判にかけられので、みんなスペインから亡命し始めたんですね。一つの流れはイタリア、それからオスマン・トルコ。もう一つの流れはオランダ・イギリス。ところがイギリスやフランスは拒否したのです。フランスもなかなか入れなかったのです。彼等はライン川沿いに住み着きます。だから17～18世紀までのユダヤ人は西欧ではそれほど多い数じゃなかった。圧倒的に多かったのはやはり東欧だったのです。

「ユダヤ人問題」の諸相

——イスラエル・パレスチナ問題では、ソ連邦の領域から来たユダヤ人が多いということがよく言われました。ソ連邦の中でロシア・ウクライナが焦点だった。ウクライナというのは私たちにはイメージがわかないのですが、意外なところで登場します。例えば国後島や色丹島、いわゆる北方領土にウクライナ系の人が来たという話もあります。ロシア革命の後に逃げた人々です。その後にいわゆるラーゲリ送りの人たちもいます。それも明瞭ではないのですが、ウクライナがロシアとヨーロッパ（中欧）との間でのせめぎ合いの場になって、そこにユダヤ人がいた。そのために移住を余儀なくされたり殺されたり、あるいはシベリアに送られたり、ということが起きる。今回のロシアによるウクライナ戦争のさなか、ウクライナ議会が「ロシアによる侵略は日本の北方領土と同じだ」という議決をしました。ウクライナ側ではこういう認識を持っています。日本では語られません。

的場——その前に実は18世紀、エカテリーナ女帝とフリードリヒ大王の時代ですね、あの頃に起きた移民政策があったのです。18世紀後半にポーランドが分解した頃に大量のドイツ人をあそこに入植させていったのですね。ウクライナにユダヤ人もいたわけです。

私も東欧に住んでいたことがあるんですが、町の名前にドイツ人村っていうのがあったのですね。私が住んでいたところもそうでしたね。名前がまさにドイツ人村（Nijemci）なんです。昔ドイツ人が入植した村だということです。チェコ村（Češi）もあったんです。チェコ人が入植していたのですね。大陸では人口が増大すると、ヨーロッパ内での移民が結構あるんです。過剰人口を移民させていったのですね。一番多いのは18～19世紀のウクライナへの移民です。移民したドイツ人やポーランド人たちと、そこにいるユダヤ人との間の問題がもう一つ出てくる。二重三重にマイノリティが重なり合っている、それがウクライナ問題です。

——欧州の近代化、資本主義化の過程と人口の爆発的増加、そして移民や植民地獲得の歴史が重なります。

的場——気をつけなければいけないのは、なぜロシア革命にユダヤ人革命家が多いのかなんです。これはマルクス主義や社会主義をやる人間にとってはとても重要なことで、有名なのはルクセンブルグ、トロツキー、ジノヴィエフなどですね。たくさんいますよね。彼らはなぜ社会主義に向かったかというと、社会主義の中にユダヤ人差別を乗り越える運動を期待したわけです。そのことによって民族主義も乗り越える。ドイツ社会民主党の民族主義はやはりドイツ人を前提としているのです。ところがドイツ人を前提とするとポーランド系ドイツ人がいる。そうするとポーランド系はいったい誰を支援したら良いのかと悩む。さらにポーランド系の中にユダヤ系がいるわけです。それを全部乗り越える動きとして社会主義運動が魅力的でした。多くのユダヤ人たちが社会主義に走った。ブント(Bund)ってありますよね。

――ユダヤ人が一方で「選民思想」に突き動かされながら、同時に社会主義や普遍性の志向を持っていた。先駆的であるとともに、それによってユダヤ人自身が引き裂かれていくことになります。

的場――もう一つは工場労働者もユダヤ人に多かった。ユダヤ人は土地を持つことを長い間禁止されていたので、土地がないために工場労働者になった。それで工場労働者の労働運動の中にユダヤ系がたくさん入ってきた。それがやがてソビエトを作る大きな原動力となって、ソビエト共産党全体の中でのユダヤ人の数はそんなに多くはないんですが、幹部だけ見るとすごい数です。一つの力となっていた。ただこれがスターリンによってどんどん追放されていって消えていくのです。少なくともなぜユダヤ人が多いのかという問題がそこにあった。民族問題と言われるものです。

――ヨーロッパ・ユダヤ人問題というのは、通常イメージするのは西欧におけるヨーロッパ・ユダヤ人問題です。しかし東欧を含めた全体として、ヨーロッパがユダヤ人問題を解決できなかった、それを外部に出したことによってイスラエル国家が成立する。

的場――最終的にはそうですよね。解決できる要因が一つあったのですね。例えば正教会、イスラム教は宗教弾圧をほとんどやっていなかったんですね。全くなかったとは言いませんが、実際イスラム社会でユダヤ人の大量虐殺、ユダヤ人を徹底して追放したというのは聞きません。彼らの中の宗教の概念に共存というものがあったわけです。正教会もそうなんです。

ロシアのポグロムは19世紀後半なんですね。もちろん16～17世紀、飢饉の時にありました。民衆によるユダヤ人排斥です。けれども本格的にアンチセミティズムという形で展開されたのは、むしろ西欧キリスト教社会においてなんです。問題はこの西欧キリスト教社会が国民国家を優先し、国民以外の者を排除した。例えばフランスやイギリスのような国民国家においては、国民国家とカトリック又はプロテスタントがしっかり結びついた。これが模範例となったのです。単一民族、単一宗教という発想を輸出したのが事の起こりです。それが帝国下にあった民族と宗教の安定を壊してしまった。もともと安定装置が働いていたわけです。それが壊れたのが西欧による新しいタイプの国民国家の出現でした。それが民族独立運動を勃興させ、ナショナリズムを生み出した。もう一つは宗教的な迫害運動を作り出していった。資本主義にも原因があります。資本主義がなぜ宗教や民族差別を作り出したか。資本主義はこうした問題を生み出してしまった。

自ら民族、宗教、民主主義、人権を作り出したが、それを排他的なものにしたのです。国内における差別や外国における差別を作り出した。悲観的です。この問題こそ今私たちが直面している問題でもあります。ただ簡単でないのは、多くの人が資本主義と人権や民主主義が同じだと思い込んでいることなのです。

帝国の解体

――その問題は重要なので、また後でもう一度触れます。話を元に戻すとオスマン・トルコの崩壊過程でバランスが崩れた。その外部的な要因としては、西欧資本主義の勃興があるけれども、今の話の流れでいうと、西欧資本主義に国民国家ができてきたことにつながってきた。ということは神聖ローマ帝国も解体していった。

的場——神聖ローマ帝国の解体がイギリス・フランスの形成ですよね。国民国家が形成された最初はおそらくイギリスだと思います。イギリスが15〜16世紀にカトリック世界から飛び出して、いわゆる自分たちのアングリカン・チャーチを作ったわけです。ちょうどヘンリー8世の頃ですけれども。フランスはそれから遅れ、ガリカニズムといって、ガリア的、すなわちフランス的カトリックを生み出した。私たちはガリア的カトリックなんだといってローマから離れた。それが資本主義を生み出していきます。そして他の地域に模範例を示していく。19世紀まではロシアとドイツとプロイセンとオスマン・トルコがヨーロッパの大きな地域を占めていたわけですね。その場末にイギリスとフランスがあった。ところがそれが逆転する。19世紀には、場末の西欧の論理がヨーロッパの論理になったのです。

フランスとイギリスは衰退するオスマン・トルコを破壊し、その領域を奪った。オーストリアやドイツの帝国を破壊して、それを国民国家に変えて、自分たちの資本主義の市場圏にした。例えばオーストリア帝国はたくさんの民族で構成された多民族国家でしたが、それを解体して民族を独立させた。最初の餌食になったのはオスマン・トルコです。オスマン・トルコは18世紀位から英仏の圧力に押されて、近代化を進める。それがうまくいかない中でどんどん内部崩壊していく。大きな帝国は足下を奪われて国民国家に変貌していく。全てが国民国家にならざるを得ない。形式上、ヨーロッパで国民国家ができるのは、1919年のヴェルサイユ会議なんです。あれで国民国家モデルが完成したのです。独立したことで、かつて強かったドイツ、オーストリア、そういう地域が力を失い、そこに英仏の資本がどっと入ってくる。

――オスマン・トルコ帝国と神聖ローマ帝国――それぞれ一つの帝国でありつつ、それぞれ背景に宗教が絡んでいる。両者が解体していく過程で、資本主義の勃興と国民国家の成立がヨーロッパ世界を書き換えてきた。その中で問題になったのがユダヤ人で、排除されていくプロセスが動き始めた。

資本主義・植民地・奴隷制

――西欧資本主義の成立というのは、同時に植民地主義と奴隷制が他方にあります。そちらとどう絡んでくるんでしょうか。

的場――まさにマルクスはその問題を重要視していたのです。これは国民国家による「世界史」の成立過程なのです。もともと世界史なんて存在しない。世界史というのは19世紀の造語なんですね。なぜ造語なのかというと、ワールドヒストリーというのはたしかにあるが、たいていは日本史のように個々の歴史として存在する。それらは世界史ではなく、雑多な歴史の束です。たくさんの国の歴史を集めただけでは世界史ではない。世界史とは論理的に一貫した歴史のことを意味します。すべての国が同じ歴史過程を進むということが必要です。英仏が範を示し、世界がそれに従う歴史――それが世界史です。

世界史はヨーロッパが植民地を作っていく16～17世紀から始まっていくのですが、それまではアメリカもアジアもアフリカもヨーロッパ史の外だったのです。全く違った歴史で世界史という概念などなかった。ところが資本主義の本源的蓄積の過程の中で、ヨーロッパが資本主義になるための資本を集めるための過程として、世界をヨーロッパのための属国にしていきます。たとえば有名な奴隷貿易があります。アフリカから奴隷を連れてきて、アフリカに武器を売る。そしてアフリカの奴隷はカリブに連れていって、さとうきびを作らせる。奴隷労働者としてこきつかう。さとうきびと銀をヨーロッパに運んでいく。ヨーロッパはその銀を持ってインドや中国に行って品物を買ってくる。こうして世界をヨーロッパ中心に結びつけたのです。それぞれが西欧を支えるために存在するようになった。

――資本主義の形成過程における「三角貿易」です。これは資本主義的生産様式とまだ連結していない。

的場――ヨーロッパは資本主義の「中心国」ですが、もの作りができていない。交易だけです。交易だけで行っていた。その当時世界の中心はインド洋にあった。インド洋、中国、インドこの辺がものを作って売り買いをする。そこに入っていくためには銀が必要だったのです。売れるものを作っていないから、インドや中国は西欧のものは買ってくれない。そこで銀を中南米からとり、これでもって買う。こうして資本を蓄積していく。これが東印度会社貿易です。交易によって世界を全部つなげたのです。ヨーロッパがつなげたのです。全く別個に発展した歴史を。そこから世界史という概念が始まる。

18世紀になってカントなんかが世界史という概念を提唱するのですが、彼等は西欧が作り上げた世界の歴史を西欧中心に世界が動く歴史と考え、それはアジア・アフリカが模倣すべき普遍的な歴史だと考えたのです。世界がつながったことによって歴史は一つの世界の全体として動いている。まさに交易経済が世界を一つにしたのですね。

――大航海時代に始まる植民地と奴隷制がいわば資本主義の培養器となり、資本主義の発展がさらに植民地化と奴隷取引を加速させたことは一般的にも知られています。ただ政治経済史的観点での分析を尽くせば、「世界史」を作り出す過程が見えて来る。エリック・ウィリアムズの『資本主義と奴隷制』（ちくま学芸文庫、２０２０年）も、産業革命は黒人奴隷の血と汗の上にもたらされたのであったとして、勤勉や禁欲という合理的精神だけで説明する仮説を批判しています。

「世界史」とは何か

――ヨーロッパを中心とした「世界史」が拡大して世界を取り込んでいく。グローバルな歴史に編入される。取り込まれた私たちの思考様式がヨーロッパ中心主義になっている。

的場――世界史はどの国にも当てはまるものかという問題があります。普遍史は存在するのかどうか。日本人は明治になってヨーロッパ人の普遍史の世界を忠実に学び、今でも歴史を受験勉強でとります。「世界史」と「日本史」という二つがありますが、日本史は日本民族の歴史ということでなるほどと分かりますが、世界史というのは教科書を見てもよく解りません。なぜわからないかというと、それはどこまでいってもヨーロッパ史だからです。アジア、中国は時々出て来ます。思いついたように出てきます。でも基本的にはヨーロッパから見たアジアなのです。だからヨーロッパ史と言えば良いのに、世界史になっている。西欧が世界を支配する限り、ヨーロッパ史こそ世界史なんです。ヨーロッパ人がこの教科書を作るのは19世紀後半です。19世紀後半にヨーロッパ人は世界史の教科書を作り始めた。それを明治時代の人たちは直輸入した。だから世界史と言ったら当然ヨーロッパ人の書いた世界史、ヨーロッパ人の書いた世界史というのは何かというと、ヨーロッパ人から見た世界史ということです。すべての国はヨーロッパと同じようにならなくてはいけないという発想ですよね。

——近年ではヨーロッパ中心主義への反省に立って、新しい世界史の試みが次々と出されています。単線的な発展段階説は過去のものとされ、多様な地域の歴史が網羅されています。なるべく全部取り上げてバランスをとるとか、多くの地域の諸事象を並列させているのが普通です。寄せ集めの域を出ない印象です。ヨーロッパ中心主義以外に世界史の駆動因を設定できていないからでしょう。

日本史も同様です。以前のような日本人中心、日本民族中心主義の日本史を克服するために、多様な民族、言語、階級・階層、職業、地域に着目し、人々の移動や交流に視線を送った多様な日本史が描かれています。アイヌ民族や琉球の視点からの記述もなされています。とはいえ総合する時の視点はやはり日本民族（大和民族）中心になりがちです。

的場——世界史の教科書はとてもおかしい。それはヨーロッパ人の目から見た世界の歴史だからです。アジアから見ればどうなるか。これはまがい物の世界史であると見えます。西欧の近代化と戦った中国人とインド人はこの世界史の輸入を断固として拒否しました。インドは今でも反対しています。何故かというとイギリス人の植民地になり、ひどい目にあったからです。インドにやってきたイギリス人はインド人をぶん殴って支配したからです。だからこんなやつらの言うことを聞きたくない。これは世界史でも何でもないという形で拒否したのです。

――インド独立の歴史はインド人の主体性回復の歴史であり、ヨーロッパ中心主義との対抗関係の中で練り直されていきます。

的場――日本はある意味で第三者的立場になってしまった。ヨーロッパ史を普遍史だと受け容れたことで、あたかも世界史というものが存在し、その普遍史が国際社会や何かそういうものとして存在するという幻想を真実だと思ってしまったのです。

しかし世界史の裏にはこれは血なまぐさい奴隷貿易、それから中南米における殺戮、それから様々な地域における植民地化という問題がまとわりついている。結局世界史の裏側が忘れ去られているのです。なぜアジアも西欧のようにしなかったのかと問えば、アジアが間抜けだったということになります。西欧の植民地での歴史は暴力と殺戮です。世界史を受け容れた途端、それが見えなくなる。その問題が染み込んでいる本源的蓄積過程という血と涙の歴史があって、それが前提になって資本主義が生まれた事は忘れてはいけません。これはマルクスの言っていることです。つまり本源的蓄積過程が資本主義を作って、資本主義は過去の血なまぐさい、泥棒行為から生まれているということです。この結果として産業革命もある。イギリス人やフランス人は確かにきれいな服を着て紳士面しているけれども、実際は自分たちの祖先が何をやったのかという問題がそこには隠されている。外見上立派に見えても、19～20世紀の歴史を見ても、やはり祖先と同じことをやっているのです。それが帝国主義です。本源的蓄積過程の中に実は元祖があるのです。

――前に私が話したグレート・ゲームの話があります（本書51頁以下参照）。同じ時代の19世紀のロシアとヨーロッパ関係の中で、私のイメージとしては「海の帝国イギリス」があって、まさにバルト海、黒海、インド洋と、それからいわゆる極東――ここにイギリスが出てくる形で、ロシアをユーラシア大陸に封じ込める。これは地政学的な観点で見てもそうなると思うんですが、地政学とは別に、陸地の中でもオスマン・トルコ――海と陸と両方ですが、オスマン・トルコや東方のヨーロッパへの進出が同時に進行していると思います。私は海だけをイメージしていましたが、全体像としてはそういう形になる。

的場――生態学者・民族学者の梅棹忠夫（1920～2010年）が、大陸の果てにある日本やイギリスが、なぜ発展したのかを論じていました。陸路を中心としたシルクロードというような文明から、海路をつうじた文明に変っていったことだと述べていました。この変化にうまく乗った国がイギリスとか日本のような国だった。アメリカもそうですよね。陸路から海路に変わった。確かに間違いではないですよね。しかし今の時代から現実を正当化している。実際的にそうだったのかは別問題です。地政学の難点はここにあります。

ハルフォード・マッキンダー（1861～1947年）とアルフレド・マハン（1840～1914年）という人たちがいました。いわゆる海洋を支配したものが全てを支配するという海洋理論を主張したのがマハンです。マッキンダーはイギリス人ですが、当時イギリスはロシアの拡大を恐れていたわけです。なぜロシアの拡大を恐れるかというと、ロシアは今まで眠っていたが、陸路に鉄道ができたことで発展すると。もし鉄道によって中国とヨーロッパが結ばれ、その中心にロシアがいたら、ロシアは世界帝国になるだろう。これには震え上がったわけですね。それがアンチロシアと呼応して、彼の本がよく読まれたのです。

確かに地政学的にこれらは説明可能です。ただなぜそうなるのかというモチベーションについては説明できない。経済的観点が重要です。資本の利得を求めるというモチベーションがないと説明できない。こうしたモチベーションが生まれる過程があったということです。これは西欧のある一地域に生まれた資本主義ですが、利己心の成立は世界中が共有していたわけではなくて、18世紀以降作られていったわけです。資本主義というのはあくなき利潤を追求することです。それからすべて勤勉でなければならない。儲けたお金は全部また投資するという意味で清貧でなければならない。これが基本原理です。

資本主義の「世界史」

的場――資本主義のようなものはそれまでたくさんあったのです。インドにも中国にもどこにもあった。ただこれは西欧の資本主義ではない。何故かというと儲けたらすぐ使うという意味で、資本主義ではない。利益が自己目的になっていない。資本主義は儲けたお金をさらに投資する。儲けてもさらに投資する。自分の生活は粗末なんです。彼が資本を動かしているように見えながら、実は資本に動かされているのです。このことを私たちは有名なマックス・ウェーバーの言葉で「鉄の鎧を着ている」と表現することができます。

この衝動はアジアにはありません。その点では資本主義というのはヨーロッパ固有のものであったのは間違いないと思います。それ以外のアジアの国はそうはならなかったばかりか、それが理解できなかった。15世紀、技術だけでいうとアジアはアメリカ大陸に行けるだけの船の技術もあったのですが、行かなかった。そうした意味でのあくなき利己心がなかったからだというべきでしょう。

――明の時代の鄭和（1371～1434年頃）はアフリカまで行ってます。永楽帝の時期、7度にわたって大航海をしています。東南アジア、インド、アラビア半島、そしてアフリカへ到達しています。第一次航海が1405～07年、最後の第7次航海が1430～33年です。商業、交易としても大規模ですし、明の国威を示すことにもなりました。寺田隆信『世界航海史上の先駆者鄭和』（清水書院、2017年）が描き出しています。

的場――各地へ行っているし、地図も作っている。アフリカだけでなくアメリカにも行っているという説がある。しかしこれが資本の拡大と結びついていない。それを自分たちの世界に組み込んでいかなかった。世界史を実現するチャンスを失ったのです。それを行ったのは、コロンブスたちなのです。彼等は発見した地域を自分たちの商売の中に組み込んでいった。それで世界に経済で結びつき、一つの世界史になったのです。ところが中国は世界史を作る気はなかった。あくなき利益の探求という衝動が生まれていなかったからです。利益という衝動を作るのに必要なものが、プロテスタントにもカトリックにもあった。そうでない宗教には欠如していた。だから皮肉ですが、私たちはある意味で幸せだと思うんですよ。

――中国はこれほど大規模な航海をしながら領土獲得目的ではありません。平和的な交易目的です。現地の紛争に巻き込まれる形で軍事力を行使したこともないわけではありませんが、軍事的支配はおよそ考えなかった。

イスラエル建国問題

――そういう世界史的な資本主義の枠組みの中で資本主義の勃興とヨーロッパ社会の再編成があって、アメリカに移住したユダヤ人と、イスラエル建国でここに移住したユダヤ人がいました。

現在のイスラエル・パレスチナ問題に戻すと、なぜわざわざイスラム世界の中に今のイスラエルというユダヤ国家を作ったのか。もともとの発祥の地だとか選民思想とか、いろいろあるけれども、あそこでなければいけない理由が問題です。他では駄目だったからなのか。イギリスが約束したからなのか。

――彼らがエルサレムにこだわる理由はあるんです。それは当然ですよね。私たちが神社を作る時にもどこでも作りません。ある程度祖先から代々しかるべきある場所、神聖な場所というのがあって、そこに建てるんですよ。そういう意味ではパレスチナという言葉はいつの間にかシオニズムの代名詞のようになっていたのです。シオニズムがあって、国がどこでも良いんじゃなくて、パレスチナこそ古代社会からある、パレスチナこそ私たちの入るべきところだということになったのも間違いないんです。決して偶然でもなく、そこに行くようになったわけですね。ただ問題なのはパレスチナだけじゃなくて、あの近辺には後にシリアやレバノンやヨルダン、サウジアラビアとなる国も一緒に広大な地にあったんですね。それが英仏が自由にできたんです。じゃあなぜパレスチナにこだわったか。もちろんエルサレムがあそこにあったことですよ。

もう一つはパレスチナという地域が人口が比較的希薄だったこともあるんです。比較的です。それで第一次世界大戦が始まる時に当然ながら浮上した。第一次世界大戦の一つの結果は国民国家を作るということだった。これはアジアでもアフリカでも植民地がどんどん国民国家を作りたいという形で主張し始めたんです。ちょうどヴェルサイユ条約の時に日本も行きましたけれども、あそこでアジアの国々は独立させてくれ、植民地を独立させてくれと言ったんです。これがことごとく排除されて、結局東欧だけだったんですよ。東欧に国民国家ができて、それ以外はほとんどできなかったんです。すでに独立している国は除きます。中南米みたいに。その時、実はシリアもレバノンも将来独立をするという約束を取り付けたんです。パレスチナだけ外されたんです。パレスチナは永遠に独立する可能性はなし、これはやはりパレスチナにこだわった理由があった。

第二次世界大戦の後に植民地が次々と独立する中で、なぜパレスチナだけが独立から外されたのか。これは第一次世界大戦の頃からなんです。先ほどのバルフォア宣言（192頁）の中にある。バルフォア宣言の中に将来、ユダヤ人を入植させて国を作る以上、パレスチナだけは独立する権利がない。独立する権利がなければ、第二次世界大戦後にほとんどの国が独立したのに、なぜあそこだけ独立できなかったかというと、最初から外されてたんです。これが国際法というものです。

――トルコ、エジプト、イランにはもうすでに確固たる領土と国民ができる基盤があった。サウジアラビアはその後でっち上げるけれども、人口も少ないし、石油が重要になるまでは資源のある場所ではない。イラクはどうでしょうか。

的場――イラクもこの後作られていくわけです。しかしクルドのように国家が存在していないところもある。そんなこと言えばこういう国はたくさんあるのです。これは置いといて、結局パレスチナにはもう一つ問題として、すぐ近くにスエズ運河があるということです。スエズ運河というのはヨーロッパが作った最大の構造物です。何しろアジア貿易とヨーロッパ貿易の要です。19世紀後半にできてこのスエズを守るということが西欧の課題となる。スエズ問題をめぐって、石油は当時まだ重要ではなく、19世紀後半はスエズ運河を守るということが問題であった。英仏はその地域を管理していましたから、自分たちの陣地を作っておきたいというのがあったので、スエズを守るということが必要でした。

19世紀後半から20世紀になると今度は石油という問題が出てきますね。石油はまだあのあたりで産出していなかったのですけれども、埋蔵量が豊富にあることが、１９２０年代にわかりました。やがて石油の問題が起きてくるとなおさら、この辺の地域を監視する役割としてパレスチナを英仏の自由になる国家にしたいという意図があったと思うんです。だからウガンダとかアルゼンチンとかいう可能性はあったとしても、イギリス政府が支援する意味はほとんどなかった。だからパレスチナになったので不幸としか言いようがないですね。

――１９４７年の国連決議でイスラエル建国、パレスチナ分割の方向が決まります。その時の国連加盟国はたかだか60ほどでしょう。その中で常任理事国のイギリス、アメリカが音頭をとって決議してしまう。

的場——はじまりはカイロ宣言ですね。

——カイロ宣言は1943年12月1日に発表されました。ルーズベルト米大統領、チャーチル英首相、蒋介石中華民国主席による戦後の対日方針を定めた首脳会談の文書です。日本の侵略を認定し、連合国に領土拡張の意思がないことを確認しました。日本が第一次大戦後に奪取した地域の返還、中国から「盗取」した地域の返還、奴隷状態に置かれた朝鮮人民の自由と独立を明記しました。

的場——あの時に戦後処理を決めたと思います。その中でアジアの植民地の独立について議論されました。カイロ条約の中心課題は植民地を独立させるという問題でした。ところが西欧諸国はこれを反故にするわけです。例えばフィリピンにはアメリカ軍がやってきたわけですね。フィリピンの独立はならんという形で2年位戦争やったんですね。フィリピンは戦争をやってなんとか1946年に独立を達成しますが、傀儡政権でした。ヴェトナムは長引いてあんなふうになった。結局戦後の植民地独立はアメリカやヨーロッパが理性的に渡して独立したのではなくて、血と涙の独立といえます。そうした情況で国連が何のために存在したのか。主要国の意図の中で動いたといえます。

——第二次大戦後でさえ、ヨーロッパによるアジア支配の意図は明らかでした。フィリピン、ヴェトナム、インドなど、みな独立闘争を余儀なくされました。朝鮮半島は歴史的経緯やその後の流れは異なりますが、日本の植民地からの独立を朝鮮民族に委ねるのではなく、米ソの介入によって複雑にしてしまいました。南洋諸島地域も日本の支配から国連の信託統治領に移行しましたが、事実上アメリカ単独占領下に置かれました。ミクロネシア、パラオ、マーシャル諸島が独立するまで数十年かかりました。沖縄も国連システムの下で信託統治領の可能性がありましたが、アメリカが直接軍事支配した訳です。

的場——あの過程で国際連合が何のために存在したのか。国連に独立要求が入ってきた時にどういうことになるのか。その意見が通らないようにシステムを作ったんです。だから「国連という名前の世界史」なんです。ヨーロッパ史——ヨーロッパのための国連だったのです。その前年のドル基軸通貨体制、ブレトンウッズのＩＭＦ体制と同じです。

——１９４１年の大西洋憲章があって、１９４５年の国連憲章がある。カイロ宣言やヤルタ会談でも確認された。ところが１９４７年にイスラエル分割決議があった。国連加盟国は約60カ国です。その頃、中華民国とタイは利害関係がないから、特に発言することもない。

的場——１９６０年代以降にたくさんの国が独立してきていますが、それより前はあまりない。

——エジプト、エチオピア、レバノンはもう独立していますよね。

的場——あの辺りは第一次世界大戦後、形式的には独立はしているんですよ。イラク、シリア、レバノン、ヨルダン、しかしパレスチナは独立できなかった。

――宗教の聖地であるという美名で残された。

的場――後はスエズ運河と石油の監視役ですよね。1番要の位置にある。似たような土地がジブラルタルですね。その肝心な先端はイギリスなんですね。モロッコも、何カ所かにスペイン領があります。そこだけはスペインなのです。モロッコは独立したといってもそこだけはいまだに返ってきてないのです。そういう主要なところ、例えばシンガポールは一応独立していますが、イギリスの監視下にある。例えばアルゼンチンのマルビナス諸島（フォークランド諸島）、ああいうところはみんなヨーロッパがとってるんですね。これらの地域は今でも独立させない。独立させないのは何故かというと、海洋の重要なところ、戦略上重要なところ、今でも地図を見てみると肝心なところは、西欧支配のために必要なのです。

イスラエルの現代

――イスラエル・パレスチナ問題では、イスラエル建国以後の歴史はよく語られてきましたが、最低限、駆け足で確認しておきます。

１９４７年が国連パレスチナ分割決議です。１９４８～49年、第一次中東戦争（パレスチナ戦争）はアラブ人にとっては「ナクバ（大厄災、大惨事）」として記憶されることになりました。パレスチナ領への侵略であり、迫害による大量の難民発生、強制移住です。「民族浄化」や人道に対する罪という概念が想起されます。１９５６年の第二次中東戦争はまさに「スエズ戦争」です。エジプトがスエズ運河を国有化しようとしたことに対して、イギリス・フランス・イスラエルが侵攻して運河地帯を占領しました。さすがに国連もこれを容認はできず、停戦と撤兵を要求します。１９６７年の第三次中東戦争は６日間で終結し、イスラエルがアラブ諸国に圧勝しました。エジプトのシナイ半島、ガザ地区を占領し、ヨルダン河西岸も占領しました。ゴラン高原問題もこの時からです。

的場――１９７３年の第四次中東戦争は忘れられがちですけれども、エジプトやシリアの失地回復の試みでした。最終的にイスラエルの勝利となりますが、アラブ連盟というアラブ諸国の団結が重要な要因でした。

――１９６７～93年に第一次インティファーダと呼ばれるパレスチナ人の抵抗運動が続きました。１９７４年にパレスチナ解放機構（ＰＬＯ）が国連オブザーバーとなりました。１９７８年、アメリカによる和平交渉の結果、キャンプ・デービッド合意が成立し、エジプト・イスラエル平和条約の結果、シナイ半島が返還されましたが、エジプトは裏切り者としてアラブ連盟から追放されました。ここからアラブ諸国の足並みが乱れます。

　１９８８年にはパレスチナ民族評議会でパレスチナ独立宣言が出されます。こうして「二国家解決」の方向性が浮上します。１９９３～２０００年はオスロ和平プロセスです。イスラエルを承認する一方、ＰＬＯをパレスチナ自治政府として承認することと、占領地域からのイスラエル軍撤退を約束しましたが、オスロ合意の評価は大きく分かれたままです。いずれにしても２００７年のイスラエルのレバノン侵攻によりオスロ合意は過去のものとなったと言えます。

　イスラエルの現代史をどのように把握するか。立場によって大きく異なります。時期によっても認識が変遷します。私は臼杵陽『イスラエル』（岩波新書、２００９年）、『世界史の中のパレスチナ問題』（講談社現代新書、２０１３年）に学んでいますが、他にも実に多くの著書があります。

的場――忘れてはいけないのはナクバですよね。つまりユダヤ人が入ってくることによって多くのパレスチナ人はイスラエルの外に出て行った。もちろんアメリカにもヨーロッパにも。出て行った人たちがその国で難民として、そして帰りを待ちながら、自分たちの国を作ろうとする。それが中東戦争です。こうした人たちが国境の向こうにいる。それがイスラエルがシリアなどを攻める理由になっている。

――中東戦争という言葉とパレスチナ解放闘争という言葉の重なり合いとすれ違いを私たちは誤認してきたのかもしれません。アメリカの政治経済学者サラ・ロイ『ホロコーストからガザへ――パレスチナの政治経済学』（青土社、２００９年）は、著者自身がホロコーストの生存者の娘ということです。イスラエルによる占領の実態を明らかにするとともに、例えば国際援助の問題点も分析しています。最近は岡真理『ガザとは何か』（大和書房、２０２３年）が出ました。

的場――ユーゴスラヴィアに留学していた時、中東の友人が多くいました。彼らの横の関係は面白いんですよ。彼らがなぜユーゴスラヴィアに留学したかというと、当時１９８１年は中東は戦争が絶えなかった。しかも自国には大学があまりない。一番優秀な学生は英仏へ行く。その次がユーゴに来る。彼等がどこを狙うかといえば医学部なんです。頻繁に戦争して人が怪我をしている国で、病院も十分ではない。だから僕たちは医学部に入って医者になるというのです。面白いのはレバノン、ヨルダンみんな言葉が通じるんですよね。モロッコの人とも言葉が通じるんですよ。アラブ世界は恐るべし。

中東のアラブ語圏の広さです。モロッコ人とは最初はフランス語で話をしていたのですが、彼が驚いたと言うわけですよ。ユーゴスラヴィアに来て何に驚いたかというとアラブ語が通じることだったんです。アラブ圏は宗教だけでなく、言語においても、とても大きな領域を持っていることを認識したって言うんですね。そこで問題なのはこのアラブという一体性です。私たちは小さくアラブを分けていますが、一体感があるということですね。ただ単に宗教だけではなくて、長い歴史の中で形成されたものです。もちろんオスマン・トルコやセルジュク・トルコなどの長い歴史があります。ヨーロッパ人がヨーロッパ人という意識を持つのと同じように、アラブ人にはアラブ人という意識がある。その中にパレスチナ人も入っている。でも１９２０年代の中東の独立にパレスチナは含まれていなかった。

——一体感というのは、もともと言語・宗教での一体感ということと、対イスラエル関係の中で形成されたアラブ人意識でしょうか。被害者としての共通体験も重要だろうと思います。日本と東北アジアを考えると、そうした一体感がおよそありえません。かつて日本は「大東亜共栄圏」という妄想に駆られて一体感を捏造しましたが見事に失敗しました。第二次大戦後はアメリカが韓国、日本、台湾、フィリピン、ヴェトナムに影響力を及ぼしましたが、アジアに分裂を強制したと言った方が正しい。東北アジアで唯一の一体感は歴史的な「抗日」しか思いつかないのが実状です。

――ジェノサイドについて考えたいと思います。ホロコースト、ショアー、ナクバ、ポグロムという言葉も使われます。ホロコースト、ショアー、ナクバ、ポグロムはそれぞれの地域で起きた悲劇を、被害を受けた人々の歴史体験として表現した言葉です。ジェノサイドという概念は、これらと違って国際法の言葉です。国際法におけるジェノサイドには法的言語に特有の定義や解釈があります。誰もが国際法の言葉を語ってきたわけではなくて、具体的な歴史の中での大虐殺等の悲劇をジェノサイドと呼ぶこともありました。大量虐殺の「ジェノサイド状況」という問題と、もう一つは国際法の「個人の犯罪としてのジェノサイド」の側面があって、それを一応切り分けなければいけない。通常メディアで言われるのは「ジェノサイド状況」――皆殺し状況、あるいは人道に対する罪の状況です。それは世界中でどこでも起きてきたけれども、やはりこのライン――バルト海と黒海を結び、そして地中海へと延びるラインが非常に多い。カスピ海側にもつながります。そこはやっぱり今まで話してきたことが関わると思います。

的場――ジェノサイドは、いわゆる「アジア的野蛮」という言葉とも関係します。それはパレスチナとも関係しますね。ヨーロッパ史でアジア的野蛮という時、モンゴルの13世紀の虐殺の話が出てきます。モンゴルが殺した殺戮行為。これは統計的にはよくわからないのですけれどアジア人は野蛮な人種だと決めつけてしまう。要するにジェノサイドでできた国家だと。この偏見はタタールやコサックとも関係してきます。ヨーロッパにとって、モンゴルが活躍したのはこのウクライナ地域です。この地域の連中は野蛮であると最初から決めつけられているわけです。

——モンゴル高原に始まった大蒙古国が中国、中央アジア、コーカサス地方を経て、西アジア、さらには東欧にまで版図を広げました。カスピ海、黒海、そして一時は地中海まで進出しました。

的場——今から30年ぐらい前ですか、ステファヌ・クルトワ『共産主義黒書』という著書が出て、大いに話題になりました。『共産主義黒書〈ソ連篇〉』（ちくま学芸文庫、２０１６年）、『共産主義黒書〈コミンテルン・アジア篇〉』（恵雅堂出版、２００６年）などが出ています。フランス人が書いたもので、いかにソビエトや東欧の社会主義・共産主義の国が人を虐殺したかという話です。非常に難しい問題です。難しい理由は統計上の問題だけではなくて、資本主義は直接手を下さないからです。資本主義は直接人を殺しません。軍が殺すのです。国が殺すのです。だから資本家は捕まりません。同じことが日本でも戦争裁判の時に何人の資本家がA級戦犯にあげられたかということと関係します。軍人は捕まるが、資本家は捕まらない。だから統計上、資本家は殺戮をしない。植民地では膨大な数の人間が殺されている。さらに資本主義は貧困と飢餓で人を殺す。

　これではジェノサイドにならない。共産主義黒書はまさにウクライナに関係しています。ウクライナでスターリンがやったシベリア送り、これが共産主義黒書の話題の中心です。これも資本主義に似て、直接殺したということよりも、シベリアに送って飢餓で殺した。資本主義もいくらでも同じことをやってます。飢饉で人々の食べ物を奪って殺しています。たくさんあるけれど無視されている。スターリンのような直接的首謀者がいない分だけ問題にならない。主張した方が勝ちというか、こうした野蛮さの問題は世界では非対称なんです。

ジェノサイドもやはり非対称で、もっぱら中東からアフリカ、この辺の地域は文明の果てにあると西欧では思われている。この人たちは当然こういうことをやるだろうと（人食い人種のように）。これを西欧が裁くのですが、果たしてそれでいいのか。西欧社会が「非人道」という言葉を使っているのは、かなり問題があるのです。一方でアフリカも黙っていない。奴隷売買や植民地支配について賠償金を払えという問題が最近起きています。こういう問題と過去の歴史的経緯を抜きにしてジェノサイドを語ることはできないと思います。

――ローベルト・クルツ『資本主義黒書』（新曜社、２００７年）もあります。中世の人々は、いままでは想像もできないような豊かな生活をしていたと言います。私たちは資本主義の発展によって人々が豊かになったと思い込んでいます。違うと言うんです。そして社会主義・共産主義が崩壊し、資本主義が世界を覆い尽くそうとしている今、その歴史を総点検しようとします。「資本主義はわれわれをどこへ連れて行こうとしているのか」を根底から問い直す試みです。

的場――ナンシー・フレイザー『資本主義は私たちをなぜ幸せにしないのか』（ちくま新書、２０２３年）が話題になりました。資本主義は人々の生活や自然といった存立基盤を餌に成長する巨大なシステムだと指摘しています。ずっと以前から指摘されていたことですが、気候変動問題を加えた形で改めて資本主義の批判的分析が進められています。

——共産主義や資本主義による残虐行為や大虐殺に対する批判は、いくら事実に基づいていても、イデオロギー批判と同質のものと受け止められかねません。論者の立場によって事実そのものが異なって見えます。解釈や評価も様々です。イデオロギー批判から離れて、大虐殺の事実を比較しようという試みもありますが、必ずしも成功していないように思います。

日本でジェノサイドを語るならば南京大虐殺もそうだし、関東大震災もそうです。あるいは義兵闘争や三一独立運動もそうです。日本の侵略や植民地支配のプロセスで東アジア地域において起きた様々な大虐殺や重大人権侵害の中にジェノサイドと呼ばれる事態が多々ある。そういう議論をこの間ずっとしてるんですが、ただちに歴史修正主義が対置されます。日本は悪くないと言うために、事実を否定する。事実を否定できなければ解釈を変える。被害者に責任を押し付ける。世界中の虐殺と比較することで相対化する。日本の責任を解除できれば、どんな方法でも構わない。そういう論法になりますから、そもそも議論が成立しない。いつものパターンです。近代日本による虐殺が、資本主義の発展、勃興とどういうふうに関わるのか。日本帝国主義の戦略の中で起きた事象が、帝国主義の戦略とそれに対する民衆の抵抗の間でどのような意味を持ったのかは問いにくくなります。

誰がジェノサイドを認定するか

的場——もう一つはナショナリズムという問題です。今の私たちは感情的な形で、自分たちを正当化するために相手の残虐さをあげつらう傾向があるのです。私たち研究者は冷静な目でジェノサイドを見ているかどうか。どこまで真実を知ることができるかどうか。この難しさの一つが例えばウクライナ戦争の初期にあったブーチャの問題ですよね。これは今のところわからないですが、ウィキペディアなんかを見るとすでに虐殺があったことになってますが、ウィキペディアはアメリカの宣伝も含みますので、これはまあ置いておきましょう。

ポーランド政府とウクライナ政府との間にもトラブルがある。ルビフ（ルヴォフ）という場所の少し南、それからザモシチという町から遠くないところ――ローザ・ルクセンブルクの生まれたところですが、ここで第二次世界大戦中、ウクライナのナショナリストが大量にポーランド人を殺した出来事です。これをウクライナ政府は認めていない。一方で自分がやられたら認めろと騒ぐという、ナショナリズム的問題が横たわっています。はっきり認めれば良いだろうと思うんですが、当事者はそうはいかない。私たち研究者はそれが可能ですが、しかし国家というものが存在し、そしてナショナリズムが存在します。そうなると研究者も簡単ではない。こうした背景を抜きにジェノサイド問題は語れない。アメリカが多分世界で1番殺戮している国だと思うんですが、1798年以降、1年として戦争をしなかった年がないという国ですから、これが全然ジェノサイドをやったことがないというのは摩訶不思議の話なんですね。そこにやっぱり政治的ナショナリズムの問題とプロパガンダの問題がある。こうした情況で、どこまで中立になれるか分かりませんが、冷静になってやれるかどうか、命に関わる恐ろしい問題です。命を奪われる問題です。この問題に本気で取り組むことができるかが突き付けられている。ため息が出るような問題ですね。

――20世紀末～21世紀になって、ジェノサイドあるいはジェノサイドに準ずるような残虐行為を認める例が出ています。

　ベルギーではプリンセスがコンゴにおける残虐行為を認めて謝罪をしました。補償はないけれども、ともあれ言葉で謝罪をし、あと経済援助をする。

　次にドイツです。ドイツはアフリカ南西部のナミビアでのジェノサイドを認めました。１９０５年頃のヘレロ人虐殺です。長年の議論がありましたが、最終的に２０２１年、ドイツ政府の見解として「当時起きた事態は今で言うジェノサイドにあたる」と認めました。これも補償がないけれども、経済援助をする。補償という名目で流れたお金はなぜか被害者ではない人たちに流れたとかで揉めています。

　カナダとオーストラリアの先住民族に対するジェノサイドについて認定が進んでいます。カナダは一応認めたわけですね。先住民族の子どもたちを寄宿舎に強制的に集めた歴史を「文化ジェノサイド」だと認めました。オーストラリアはジェノサイドという言葉を使ってないけれども、先住民に対する過去の重大人権侵害を認めて、それへの対処として一部土地の返還を始めている。

　近代におけるジェノサイドの後始末がようやく始まりました。アメリカは広島・長崎原爆投下の責任を認めませんが、スミソニアン博物館の姿勢も随分変わってきて、アメリカ社会の中には責任を論じる人たちも出ています。２０２３年、イギリスはケニアでの残虐行為を認めるかと期待されましたが、正式にはやはり認めませんでした。

的場——難しい問題があるわけですね。アフリカの動きがどんどん変わってきているのはロシアと中国の進出があります。例えばコンゴは１９６０年、首相が謎の失踪をし、そして暗殺されたんですね。独立して間もない国は傀儡政権でしたが、傀儡政権の首をすげ替える。ベルギー政府は最近この暗殺行為を謝罪しました。問題なのはコンゴの今の位置です。西欧はアフリカを失いたくない。

北にもう一つナイジェリアがある。ナイジェリアとコンゴは西欧のアフリカの砦なんです。その脇に西アフリカ地域、スーダン、エチオピアがあり、だんだんロシア、中国寄りになっている。中核としてのここを守るというのが一方であって、そのために今まで絶対認めなかったことを認め始めている。これを認めるのに60年もかかっている。

住民に対する虐殺ですよね。首相まで殺した。こういう問題に対して一方で政治的に動いていることも事実です。でも研究者の努力は認めてほしい。ただそれを認めるならば、過去にあったものを全て認めるかという問題がある。それをやると西欧は大変なことになる。賠償金も請求されて大変なことになる。実際請求しているわけですね。２０００年頃にアフリカ人は50兆円なんかの請求をしていまして、当然払えるわけがないので無視してますが、奴隷貿易に対して50兆円補償せよとか。この辺で要するにどこまでは認めてどこまでは認めないかという中での議論で、完全な反省になってるかどうか。

ブーチャ虐殺はみんな認めてくれ、でもウクライナがやった虐殺は認めないとなってしまう。しこりが残るんですね。事実は事実として見なくちゃいけないんですが、一方で政治的な問題が絡んでくる。ましてや西側、西欧における発想やいろんな論理があり、力がある。それに政府がちょっとでも加担すると、なんでもうまくいくんですが、このあたりだって西側政府は決して彼らを野放しで認めるというわけではない、適当に利用するということも事実なんですね。ジェノサイドの問題は微妙なからみの中でのような気もします。

正義は遅れてやって来る

——ジェノサイドを裁く国際裁判は１９９０年代から始まるんですが、概念的には１９４４年のラファエル・レムキンの論文から始まります。１９４６年の国連決議で一度ジェノサイドを言ってるんですね。ジェノサイドはホミサイドと同様の犯罪であり、国際犯罪であるということです。ホミサイドは個人に対する殺人、ジェノサイドは人類に対する殺人という位置づけをした。それが１９４６年の国連です。１９４５年に国連憲章を作って、始まったばかりの国連の認識としていわゆる「ニュルンベルグ決議」や「ジェノサイド決議」をしました。そして１９４８年にジェノサイド条約を作る。１９４８年はエポックメイキングな年になります。ジェノサイド条約と世界人権宣言を採択したからです。ジェノサイド条約によって、ジェノサイドを国際犯罪とし、裁くための裁判所を設置することにしました。世界人権宣言は人権の普遍性を高らかに掲げました。

ところがこの時、パレスチナでナクバが起きていた。すべての人々に同じように基本的自由と人権が認められ、差別のない世界を目指すはずなのに、パレスチナ地域のアラブ人は虐殺と迫害の嵐に見舞われていました。それを知りながら国連は放置した訳です。難民対策の努力はしましたが、難民の数があまりにも多すぎた。ジェノサイド条約では、ジェノサイドを裁く裁判所を作ると言っていたのに、ナクバは裁かれませんでした。

的場——誰が誰を裁くのか。極めて不透明で一方的に設定されてしまいます。

——「遅れてきた正義」という言葉があります。刑法というのは元々、過去に行われた犯罪について実行犯の責任を問います。事後的に裁くことしかできません。しかも証拠がそろわないと裁けません。このため正義が実現されるのは事後のことになります。多くの場合、裁きが実現しないこともあります。それでもナチス・ドイツのユダヤ人迫害は第二次大戦後のニュルンベルク裁判や「ニュルンベルク継続裁判」で裁かれました。正義は遅れてやって来ました。東京裁判（極東国際軍事裁判）でも日本の戦争犯罪人が裁かれて、遅れてきた正義が実行されました。しかし多くの犯罪が見逃されました。１９９０年代、日本軍性奴隷制（「慰安婦」）問題、朝鮮人中国人強制連行・強制労働、ＢＣ級戦犯、南京大虐殺、七三一部隊問題等について「遅れてきた正義」の片りんを垣間見ることになりました。しかし「遅れてきた正義」がさらに引き伸ばされ、いつの間にか忘却されていきました。

１９４７年の国連イスラエル決議に始まったナクバについて、パレスチナの人々は70数年待ち続けていますが、正義がやって来る気配は微塵もありません。遅れてきた正義どころか、日々毎日、不正義の積み重ねです。70数年というのは個人にとってみれば「永遠の不正義」です。

ジェノサイドを裁く時代

――ジェノサイド条約に基づく裁判所は結局50年間作られませんでした。裁きがなされることがなかった。作ったのは１９９０年代になるんです。旧ユーゴスラヴィア国際刑事法廷は国連安保理決議に基づいて設置されました。それはよくわからない作り方でした。安保理にそんな権限があるのかと思います。それがまかり通って、そのまま設置されました。１９９０年代後半から旧ユーゴスラヴィア地域における戦争犯罪や人道に対する罪の事件を裁きました。

１９９４年にはルワンダ国際刑事法廷ができました。１９９４年のルワンダ・ジェノサイド――ツチ人に対する大量虐殺を裁く法廷です。１９９８年9月2日、ジャン・ポール・アカイェス被告に対する裁判で、国際法廷史上初のジェノサイド有罪判決が出ました。その後続々とジェノサイド、人道に対する罪、戦争犯罪が裁かれます。

そして１９９８年に国際刑事裁判所規程ができて、２００２年にハーグ（オランダ）に国際刑事裁判所（ＩＣＣ）が設置されました。ニュルンベルク・東京裁判や、旧ユーゴスラヴィア・ルワンダ法廷は、いずれも地域限定、時期限定のアドホックな法廷です。国際刑事裁判所は普遍的管轄権と言って、地域も時期も限らず地球上で起きたすべてのジェノサイド、人道に対する罪、戦争犯罪を裁く権限を手にしました。ここで裁いてきた事件というのは中央アフリカ、カメルーン、コンゴ、ウガンダ等です。それ以外に実際に裁判をやってないけれども、テーマになってるのがミャンマーのロヒンギャ迫害、フィリピンのドゥテルテ元大統領の殺害命令などの告発もなされました。そしてウクライナ戦争に関連してプーチン・ロシア大統領に逮捕状が出ました。

的場――バイデン米大統領になぜ逮捕状が出ないのか。ウクライナのゼレンスキー大統領になぜ出ないのか。不思議です。

――２０２３年12月、南アフリカ政府がイスラエルの戦争犯罪を国際司法裁判所（ＩＣＪ）に提訴しました。24年1月11～12日、国際司法裁判所で審理が開かれ、南アフリカが口頭で申立てをしてイスラエルが反論しました。国際刑事裁判所は個人の犯罪を裁くのですが、国際司法裁判所は個人の犯罪を裁くのではなく、国家行為の合法性・違法性を認定することが可能です。政治的な国際政治の枠組みの中で、いろいろ歪んだ形でありつつも、他方で理念的には、やっぱりジェノサイドは許されないんだというのが一応世界に広まってきている。24年1月27日、国際司法裁判所が南アフリカの請求の一部を認めました。

ただアメリカやイギリスはどんな犯罪をやっても見逃され、アフリカやアジアの虐殺だけが非難されてきたのも事実です。２００２年10月に始まったアメリカによるアフガニスタン戦争で膨大な難民が生まれ、空爆によって女性や子どもたちも亡くなりました。クラスター爆弾や劣化ウラン弾やバンカーバスター弾などが投下されました。しかし国際社会はブッシュ米大統領の人道に対する罪や戦争犯罪を追求するどころか、ターリバーン政権を打倒したことで高く評価したのです。私たち日本の平和運動は「アフガニスタン国際戦犯法廷」という民衆法廷を立ち上げて、ブッシュ大統領の犯罪を立証しました。私はそのために何度もアフガニスタンを訪問しました。２００３年3月に本格化したイラク戦争も同様です。「イラクに大量破壊兵器がある」という嘘から始まった国際法違反の侵略戦争ですが、国連はこれを容認しました。ブッシュ大統領やブレア英首相の責任は問われませんでした。

的場――ここでぜひ言及しなければいけないのは事実の問題です。スレブレニッツァ事件はあったけれども、じゃあ誰が一体どう調べたのか。事件は１９９５年7月、これは戦線が変わるちょうど分け目のところでした。世界中にこれが急に宣伝されていった。

その前提となるユーゴ紛争について少し話をしますが、最初はスロベニアの独立でした。ここは大した問題にはならなかった。ここはオーストリア帝国の直轄植民地でした。その後、クロアティアが独立するのですが、これは大きな問題になります。クロアティアはユーゴを形成する主要な共和国です。その紛争は東のドナウ川のあたりスラボニアから始まるんですね。クロアティア独立をセルビアは簡単に認めなかった。どこで戦争が起こったのかというとスラボニアからです。スラボニアはベオグラードに至るドナウ川の右岸です（本書14頁地図参照）。

もともとクロアティアですけれども、セルビア人が大量に住んでいたのです。スラボニアのセルビア人が住んでいる地域で戦争が始まります。それこそまさに町が完全に破壊されるほどの激しい戦争でした。この中でセルビアは、セルビア系住民が虐殺されていると声を挙げました。でもこれは西欧には一切流れません。

それからもう一つは、今のスルプスカ共和国と言う、ボスニアの北のほうにセルビア人が入植していた地域があります。ここでも激しい戦争があった。

私はクロアティア人もセルビア人もよく知っているのですが、どちらも私から見ればつまらないことで憎しみ合っています。その歴史は１００年位前に始まる。クロアティア人はカトリックで、セルビア人は正教です。またオスマン・トルコではなく、オーストリア圏にいた。ユーゴスラヴィアができたときからセルビアとうまくいっていませんでした。クロアティア地域はクロアティアのものという意識がある。そうなるとセルビア人は出ていくか、粛清するしかない。これを民族浄化と言います。

決してセルビア人だけがクロアティア人を民族浄化しようとしたわけではない。もちろんセルビア人も同じ穴の狢です。ところが西欧の国際世論は、カトリックということもあり、クロアティアが犯した虐殺についてはなんの調査もなされず、スレブニッツアだけが虐殺として話題になったのです。本来なら両方ともあったわけです。

西側報道はザグレブにいた記者が、クロアティアから見た記事を送った。こうして西側世界では完全にセルビアが悪者になって、セルビアのミロシェヴィチがすべて組織したことになった。セルビアならやるだろうという偏見がこれを作り出した。一つの事件だけを見て、他の事件を見ない。政治的なプロパガンダに使われてました。こうなるとセルビアは悪である、旧ユーゴスラヴィアは人道的問題があるので、攻撃しても良いことになる。ＮＡＴＯがユーゴを総攻撃した正当性はそこから生まれた。

国際刑事裁判の限界

――国際法の建付けとしては、国連安保理事会決議があって、それに基づいてオランダのハーグに旧ユーゴスラヴィア国際法廷が作られた。法廷規程と手続きが作られた。ニュルンベルク・東京の教訓を踏まえて、１９５０～80年代の国連国際法委員会の議論の蓄積も踏まえて、国際法を発展させようとしました。ところがなぜかＮＡＴＯ軍が出てきて「正義の使者」になった。ＮＡＴＯ軍が被疑者を身柄拘束する。そのために現場に突入して、抵抗すれば現場処刑してしまった。安保理事会決議の執行を、なぜか特定地域・特定勢力の軍事同盟であるＮＡＴＯ軍が担当しました。普通なら、ここではたと立ち止まるはずですが、誰も立ち止まらずに、国際法はきれいな理屈として発展したことになっています。国際法学はＮＡＴＯ軍翼賛に励んだわけです。

その意味で現代国際法はいまだに普遍性を獲得していません。植民地時代に形成され、帝国主義の手先として発展してきた根っこを引きずっている。再生産している。ところが国際法学者はそれを大前提として、疑おうとしない。みんな見て見ぬふりをする。ルワンダの場合は事情が違いました。１９９４年のルワンダ・ジェノサイドの時に、国連安保理決議に基づいてタンザニアのアルーシャにルワンダ国際刑事法廷を設置しました。NATO軍は行きませんから、どうやったかというと、アフリカ各国に逮捕状を送って、各国政府が身柄拘束をします。被疑者をアルーシャに移送する。それはそれで一つのやり方です。ここで注目するべきは、旧ユーゴのやり方とルワンダのやり方が決定的に違うことです。

的場――セルビアがそれだけ強いからです。要するに逮捕する側も覚悟しなければならない。だからNATO軍だったのでしょうが、問題は一方的にやるところと一方的にやらないところがあることです。例えばロシア、仮にいくらロシアを非難したとても、プーチンは悪い奴だと言ってプーチンを捕まえることができるかどうか。誰でも国際刑事裁判所に訴えれば犯人となるのかどうか。これも今私たちが直面している日本の政治問題と同じですね。何かあると裁判所に訴えると言うけれども、裁判所はすべての問題を扱えない。例えば、大学院生が修士論文とか博士論文を書いて提出したところ、先生が審査で落としたとしましょう。それはパワハラだと裁判所に訴える。裁判所は、この修士論文は修士の価値があるので、先生はパワハラで落としたと判断したとしましょう。そんなことやっていたら、裁判所は何でもかんでもやらなくちゃいけなくなる。そこに裁判所の持っている限界というのがありますね。国際司法の限界です。その限界にどう折り合いをつけるかをしっかりやらないとやはり裁判所が牛耳られてある意味ではうまくプロパガンダに使われてしまう。その危険性をやはりユーゴスラヴィア問題では感じました。

――現在ハーグにある国際刑事裁判所でもやはりそうです。国際刑事裁判所の建前として普遍的管轄権を行使します。地球上全ての戦争犯罪やジェノサイドを裁く権限を保有しています。どこの国民が加害者であろうが、どこの民族が被害者であろうが、全て裁くという設計です。ところが現実に行われた裁判はすべてアフリカの事件、アフリカの被告人です。中央アフリカ、カメルーン、コンゴ民主共和国、スーダン、ウガンダなど、その界隈の被告人が裁かれるわけです。これに対して今、アフリカ諸国が「これは差別である」と不満を表明しています。国連のレベルでも何度も発言するようになっています。それで慌てて国際刑事裁判所検察部はフィリピンとミャンマーの問題をくりこんだ。でもアメリカについては一切出てこない。国際刑事裁判所が裁くのは2002年7月1日以後の事件です。アフガニスタン戦争の時期ですし、イラク戦争は2003年3月に本格化しました。

的場——アメリカ自体は国際刑事裁判所に参加してないですよね。

——クリントン大統領が国際刑事裁判所規程に署名したけれども、ブッシュ大統領が撤回したからです。ブッシュが大統領に就任した2001年1月に撤回したんです。2000年12月にクリントンが署名したのを、ブッシュ大統領が国際刑事裁判所規程署名の撤回とイラク戦争開戦の準備を決めた。だから入っていないのです。

後にアメリカとヨーロッパの人権団体、日本の私たちも一緒に取り組んだのが「ブッシュを裁け」という手紙（Eメール）をハーグの国際刑事裁判所検事団に送ることでした。ブッシュ大統領、チェイニー副大統領、ラムズフェルド国防長官を捜査し、訴追するべきです。そういう手紙を世界中から送ったけれども、国際刑事裁判所は一切動きません。

同じく取り組んだのがイスラエル元首相のアリエル・シャロンを裁けという運動です。世界中から「シャロンを裁け」という手紙を送りましたが、国際刑事裁判所は何もしない。結局シャロンは２０１４年に亡くなりました。

ラムズフェルド元国防長官を裁けという運動の時に興味深いことが起きました。ラムズフェルドが国防長官を退職した後に、パリに呼ばれて講演会が開かれることになりました。世界中からパリの検察庁に「ラムズフェルドを逮捕しろ」とアピールしました。もちろん逮捕するはずがない。元アメリカ国防長官でも、その時は民間人です。外交官特権はありませんから、検察の権限上は逮捕できないことはない。ただパリの検事にそれだけの判断ができるわけがない。フランスとアメリカの外交問題になってしまいますから、逮捕するはずがない。ところが世界中からEメールが届いたというニュースが流れた途端に、ラムズフェルドは逃げたんです。パリのアメリカ大使館に逃げ込んだ。そして講演会をキャンセルして、大使館の車で秘密裏にドイツへ逃げました。ラムズフェルドとしても、まさか逮捕されるとは思わなかったでしょうが、万が一のことを考えて逃げた。こういうプロセスがあったのです。これがアメリカに対して唯一できたことです。私たちの観点から言ってもアメリカに対して何もできない。できるのはかろうじてそういうことです。そう思って見ると、ブッシュ元大統領はほとんど外遊していません。行動の自由を自ら制限せざるを得なくなっているのです。

「勝者の裁き」論

的場――国際法でも国内法でも問題点があるんです。国内で自分たちも参加する権利を持ってることによって、ここで取り締まることができることによって、いかにも正しく普遍的に取り締まるという。しかし実際多くの国には独裁者がいて、独裁者が好きにやっている。同じことが国際社会ではない。国際社会では独裁者がいませんから、もしも国際司法を作って国際的な独裁者が倒れたら、その人間が関係ないやつを片っ端から国際法を通じて客観的、普遍的に悪と裁いたら。それは末恐ろしいですね。それこそかつてソビエト・マルクス主義が起こした問題と同じように、全て権力が集中して、すべてのものが国有化し、裁く主体が国家なんですね。国家は絶対無謬性、間違いを犯さない。それによって、何か犯した者は絶対的に無謬である国家によって、神の裁きを受けて処分される。粛清された人間は、結局そういう形で粛清されたんですけれども、そういうことが起こらないだろうか、ちょっと不安ですよね。

――国際刑事裁判所が世界政府の軍隊とつるんでやれば、当然そうなるわけです。それは国際刑事裁判所を作る時に「アメリカがこれを牛耳って使ったらどうなるか」という議論を、当時政治的には議論しています。結果的にアメリカが入らない。ロシアも入らない。中国も入らないという形で、国際刑事裁判所が動いているので、とりあえずそういう問題が今は起きていない。将来、アメリカが国際刑事裁判所に乗り込んで、牛耳ろうとすることがないとは言えません。

的場――それは与える悪影響があまりにも大きいですね。それなりの透明性の下に行われれば良いとはいえ、やはり怖いのは、そういう「一国国際社会」ということが恐ろしい。そこに多様性というものをどう持っていくかを考えなければいけない。一つの犯罪でも国によって多様性がある。あまり多様性をやるといわゆる法の持っている価値が減るかもしれない。ただ多様性っていうのは今出てきている問題で、それぞれの国が抱えている位置も違うし、考え方も違う。様々な形のものが横行する。

——国際法の普遍性と特殊性は常に問われてきました。その都度、対処してきましたが、現実の力関係の中でしか動きません。特殊アメリカ的利害を「普遍」と言い募ることが続いてきました。

的場——典型がアメリカが得意とする汚職犯罪ですよね。アメリカは汚職犯罪を戦略として組み込んでいます。１９８０～90年位でしょうか。日本もそうですが、こういう国を蹴落とすために汚職犯罪というものを組み込んだ。そうすると汚職をした企業はアメリカに進出できない。アメリカに出てくると立件する。でも問題は、この国では普通とされることがアメリカでは犯罪とされ、アメリカに行くと逮捕される。逆に言えばアメリカの言う通りしないとだめ。これはアメリカの感覚であって、よその国は違う。それをどうするかということです。汚職や腐敗は許せないのは確かですが、何を汚職や腐敗とするかの基準は国によって違います。アメリカ基準がすべてではありません。アメリカも他の国へ行けば汚職や腐敗になる場合があります。やはり私たちが納得する形で議論をしていかないといけない。法も多様性があるから、モンテスキューではないけれども、それぞれの住んでいる世界にはそれぞれの自律があり、基準ができる。モンテスキューの良いところは、例えば日本の問題点を指摘しているけれども、全否定していない。国際刑事裁判所は普遍性という概念を持っている。その「普遍性」がどこまで、どのような意味で普遍なのか。アフリカの人々が納得できるかという問題です。旧ユーゴ問題で言えばセルビア人が納得できるかどうか。

——それは戦争犯罪やジェノサイドを裁く試みの最初からついて回ってきた問題です。いまだに十分な解決はできていません。

最初の戦争犯罪法廷は第一次大戦後のイスタンブール裁判です（本書17頁参照）。イギリスが中心となって、オスマン・トルコによる残虐行為・戦争犯罪の被疑者を身柄拘束して、トルコに身柄を引き渡して、裁かせました。まさにイギリスの国力がトルコの国力を圧倒し始めた時期です。トルコは「人道と文明に対する罪」を掲げて裁判を実施しました。しかし国民は怒ったのです。国家のために戦った軍人を、戦争に負けたからと言って裁くのは一方的でおかしいと考えました。

同じことがドイツのライプチヒでも起きます。ドイツ軍による残虐行為をドイツ帝国裁判所で裁きました。かなりの被告人を無罪とし、有罪であっても刑罰が軽いものでした。このため「ライプチヒの茶番」と呼ばれることになります。しかしドイツ国民からすれば、そもそもドイツ帝国のために戦った軍人を、戦争に負けたからと言って裁くのは不公平です。負けたから裁かれることへの反発は、ニュルンベルク裁判や東京裁判でも「勝者の裁き論」として浮上します。日本ではいまだに同じことを言っています。いわゆる「東京裁判史観批判」です。

的場――残虐行為をしたから裁くのだと言っても、一方だけが残虐行為をしたのかという問題は残ります。

――ニュルンベルク裁判で連合国によるドレスデン空爆は裁かれませんでした。1945年2月、連合国による空爆でドレスデンが全滅し、民間人が殺戮されました。東京裁判ではヒロシマ・ナガサキ原爆投下や東京大空襲が裁かれませんでした。両方が残虐行為をしても、裁かれるのは敗者の側だけです。

この意味で「勝者の裁き」が行われたことは否定できません。

それでは日本が勝っていたらどうでしょうか。裁判を行ったでしょうか。とてもそうは思えません。戦争行為を口実に皆殺ししました。裁判抜きに問答無用で現場処刑しました。捕虜収容所で虐待しました。たとえ「勝者の裁き」であったとしても、裁判をやってもらえるだけ幸運だったと言うべきです。国際法はまだその程度の発展段階だったからです。

テロリストは誰か

的場――問題は戦争犯罪とは一体何か。テロリストとは一体何かです。テロリストというのは昔はゲリラと言ってました。レジスタンスと言ってました。そもそもテロルというのはフランス革命の時に生まれた言葉です。ジャコバン派の指導者ロベスピエール（1758～94年）がテレールと言いました。統治形態としての恐怖支配です。テロリストというのはそこから生まれた言葉ですけれども、「国家テロ」なんです。国家が誰彼となく、捕まえて殺していくのがテロです。テロリストというのは国家テロを意味している言葉なんです。にもかかわらず、民衆が「法律がおかしい、こちらが正しい」と言って立ち上がった時に「はい、あなたはテロリスト」となっていく。

――ブッシュ米大統領は9・11で「テロとの戦争」を唱えました。誰がテロリストであるかはブッシュ大統領が決めた。いったいどちらがテロリストなのかという問題になります。こうした意味ではロシア帝国の末期にテロリストという言葉がよく使われた。

的場――だからフランス革命の後なんですね。テロリストというのは支配体制側がテロリストと呼ぶけれども、本来はレジスタンスなんです。革命ですから抵抗権というものがある。独裁政権による弾圧に対して抵抗する場合はテロリストと言えるのかどうか。ですから「お前はテロリストだ」と言ったらとても悪いように見えるけれども、「私たちは不正に抗議しているだけです」「正義を求めているだけです」。２０２３年にヒロシマで開催されたＧ７でも「テロリスト対策」などと言っていました。「私はＧ７に抗議しに来たんです」と言っても「テロリストだ」と言って逮捕するということが通ってしまう。法の下における普遍性と危険性が裏表です。

――とりわけ無法になったのはやはり９・11からです。テロリストのブッシュ大統領が他人をテロリストと名指ししたところから始まっている。

的場――挑発行為が罰せられなくなってしまった。

――誰も「お前こそテロリストだ」と言わなかった。私は言っていましたが、国際社会にまともな発言はありません。各国首脳も国連のキーパーソンもブッシュに屈従しました。多くの国際法学者はブッシュの提灯持ちに過ぎなかった。

的場――9・11とウクライナ問題はよく似ています。みんなが興奮して、実情が何であるかを確かめもせず、一方的にあいつが悪いと断定しました。まるで私たちが子どもの時に少年ジェットとか月光仮面みたいに、必ず悪者がいて正義の月光仮面がやっつけるわけですね。正義のヒーローものでは、月光仮面が悪だということは最初から排除されている。子どもの世界ではスマートだったけれども、子どもだって時々思いますよね。「本当に相手は悪い奴なのか」。そのような意味での勧善懲悪、そういう問題が未解決です。大人の社会は複雑でどちらが良いとか悪いとか言えないところがあるからデリケートな問題であることを問題にしなくてはならない。

――それが先ほどいったん置いておいた問題、人権の「普遍性」とつながります。テロは良くない。これは誰も反対できませんが、その背後、テロリスト問題の裏側には普遍的な人権なり、普遍的な民主主義なりがあるからです。

的場――何の目的もなく、人をただ殺戮するだけの者がまさにテロリストなんです。ただ間違って人を撃つこともある。これをテロリストということができるかどうかという問題は常に付きまといます。抵抗というのは、弱い者はある意味では爆発する可能性がある。その前に挑発行為というのがある。挑発行為はどこまで許されるのか。挑発したほうがいけないという議論になれば、挑発したのはどちら側だという話になる。お互いに相手が挑発してると言う。

　今回のイスラエル問題も、挑発行為がガザにおいて長いこと続いてきました。状況を支配してきたイスラエル軍が挑発してきた。結果として確かに爆発したし、これはやるべきだったかどうかはわからないけれど、これ以上我慢したらどうなったかという問題もあります。ハマースが責任を取るというよりは、民衆はそこにいて生活したいという問題がある。

私たちも今回は騙されなかったわけです。知っているからです。ガザの人間がどれだけあの牢獄に閉じ込められて、水もなく食料もなく、制限されて苦しかったか。わかってるがゆえに私たちはこの問題に関してはウクライナみたいにはならなかった。でもウクライナもきちんと知れば、わかることもあります。ドンバスの人間がどれほどウクライナで差別されたか。わかっていたら、なるほどと思う。でもそこは欠けているから、おそらく「悪いロシアが突然侵略してきた」ように見えた。そこが全く違うんです。情報量の問題が過去の歴史の評価に常に付きまとってきた。いずれにしろ難しいですが、難しいと言って判断停止することもできない。

――国際紛争でも国内紛争でも「大義」なるものがどちらにあるか、単純明快な場合は必ずしも多くありません。両方にそれなりの言い分がある。相手にも必ず瑕疵がある。不正行為がある。「敵／味方」局面で第三者的に中立にはなれない。中立のつもりでも偏向してしまう。まして国際政治の舞台では中立であろうとするわけではなく、自国の利害で物事を考え、進めていきます。剥き出しの利害が衝突するのが国際政治であるならば、そこに普遍性や中立性を持ち込んだ国際刑事裁判の「擬制」が何を生み出すか。

的場――人権があって、人権宣言というのがあります。フランス憲法で言えば、第5共和制憲法冒頭に人権宣言がついているんです。比較的短いんですよね。必ずこれが憲法の最初の内容を表す言葉なんです。憲法は何度か変わってるんですけれども、人権宣言だけは同じなんです。人権宣言は5つの項目があるんです。自由、平等、博愛、そして私有、安全なんです。でもいつの間にか後者の2つが消えてるんです。フランスのコインとかフランの紙幣とかには自由・平等・博愛と書いてありました。今でも発行されているユーロのコインには自由・平等・博愛と書いてあります。でもあと2つあったんです。所有と安全、これを排除したんです。実はこれを書くとまずいんです。

最初は意図していたんですよ。5つのスローガンを掲げる意味があった。フランス革命を進めた人たちはブルジョワだったんです。彼らが何を求めたかというと、絶対王政の連中に自分の所有権を犯されたくない。所有権を守るということで書いたんです。ところが19世紀になって今度は貧困というか、労働者が増えてきて、彼らは所有権を持たないわけですね。それで所有権と書いてあるのを消せとなる。

当時の人権宣言の立場に戻ると、こういうことなんです。1番重要なのはプロプリエテなんです。所有を守るための自由、所有を得るための機会の平等、所有者だけの友愛、所有者を守るための安全なんです。そうでなければあんなに集まらない。フランス革命というのは全土の人民が集まったのではなく、パリ周辺が中心です。一部のエリートというか、商人たちも含めて有力な人物たちが集まって国民国家を作った。選挙によって選ばれた訳ではありません。フランスで選挙が行われるのは19世紀半ばです。選挙をやらないで自分たちで国民国家を作った。人権条項があった。人権宣言も最初からいろんな問題を含みながら出発してるわけです。それが19世紀に社会主義や共産主義という運動からいろんな批判を受ける。これ以降ずっと迷走経路に入ったんです。自由・平等・博愛・所有・人権——これを問題にすれば、人権のなんたるかがわかる問題を含んでいる。

最初に指摘したのはプルードンです。プルードン『所有とは何か』の冒頭がそうなんです。5つ目に所有があるけれどもおかしいではないか。一番重要なのは所有だろうと言います。社会主義者は平等と自由の問題を一所懸命問題にして、平等が重要だと言った。それは無理だ。だって所有権を守るって書いてあるんだから。そこでどんでん返しをしたんです。その本が『所有とは何か』で、これが爆発的に売れた。

――法学的には、マルクス主義法学が批判した通り「近代法の普遍性と階級性」の問題があります。近代法の普遍性は階級を見えなくさせ、ジェンダーを見えなくさせます。植民地も見えなくさせました。アメリカ憲法を起草した主要メンバーは奴隷所有者でした。近代法の自由と平等の名の下に、奴隷所有が正当化されました。もちろんアメリカ憲法に修正条項（人権条項）が追加され、続いて奴隷制批判になっていきますが。

　この問題は根深くて、いまだに解決されていません。問題点すら認識されていません。例えば「人として認められる権利」を日本憲法学は認めません。憲法学者や弁護士に話しても「そんな言葉は知らない」と答えます。「人として認められる権利」は１９４８年の世界人権宣言で定められた権利です。ナチス・ドイツによるユダヤ人迫害はユダヤ人を人間と認めなかったからです。それへの反省から世界人権宣言第６条は「すべて人は、いかなる場所においても、法の下において、人として認められる権利を有する」としました。まず人として認められる。人であるから、さまざまな人権が認められる。生命権、生存権、人格権、自由権が認められる。人でなければ権利の享有主体になりえません。だから世界人権宣言第６条です。

　ところが日本の憲法教科書を何十冊見ても「人として認められる権利」という言葉は出てきません。「それは憲法上の権利ではない」とされます。私は「人として認められる権利」という論文を書きましたが、一切反応がありません。憲法学者は誰も関心を持たない。人が人として認められない事態がこの国で何度も何度も起きるのは、このためです。

希望の世界史のために

——絶望の世界史を語ると、いくら時間があっても足りません。希望につながる話をしておかないと、いけません。とはいえ「希望だけがない国」日本で政治・経済・社会の話をしても、希望がどんどん遠のいていきます。ざっと要点だけを見ても、第一に政治外交的には対米追随の極致です。米軍基地が恒久化し、軍事外交面ではアメリカの言いなりです。それどころか安倍首相や岸田首相の行動を見れば、アメリカに指示される前に「忖度」してアメリカにこびへつらう。それを自慢の種にしているほどです。第二に国内政治を見れば、国会議員に政策立案能力が欠如し、あるのは腐敗だけという悲惨な状態です、政策は官僚が策定していますが、戦略も長期計画もなく、その場しのぎの政策しか出てきません。官僚は政治家にこびへつらって転職先をおねだりするだけです。第三に資本主義も衰退を続けています。ついに「失われた30年」と言われています。しかも偽装工作の発覚が止まらない。日本資本主義が衰退から腐朽《ふきゅう》局面に入っている。第四に日本そのものの縮小です。人類史上まれにみる高齢化と人口減がどんどん進んでいるため、社会の崩壊が危惧されます。このように数え上げるときりがない。

日本で数少ない希望は、なぜかスポーツです。野球の大谷翔平選手を筆頭に、世界で大活躍するスポーツ選手が私たちに元気を与えてくれます。

的場――日本はともかくとして現代世界に希望はあります。おそらくアジアとかアフリカにとっての希望は今少しずつ出てきている。ヨーロッパにとっての希望はどんどん減っている。

――希望の芽をどこに見るのでしょうか。

的場――これからの21世紀はどう変わっていくかでしょう。どう変われば一番良い方向なのかが、おそらく希望への道だと思います。

――21世紀はもうすぐ4分の1になります。これから50年が21世紀の中心部分になります。それを我々は残念ながら見届けられないいんですが、21世紀の現代世界がどういう方向になるのか。なるのが望ましいのかを含めて考えます。政治・経済・社会・文化いろんな局面があると思います。ロシア・ウクライナやイスラエル・パレスチナをめぐる問題、それからヨーロッパ、アメリカ、そしてそれ以外の今はグローバルサウスという言葉で呼ばれています。そういう世界の問題にどうつなげて考えていくのか。今が転換期だとすると、西欧資本主義からグローバルサウスへという転換を設定することができるのかどうか。

的場――おそらく20世紀までは、西欧民主主義というのが1つのシステムだったわけですよ。西側の先進国社会が繁栄するために、後進諸国と言われている地域の原料や燃料を安価で買い、先進国は安い製品を売り込んでいく。売り込むために先進諸国の製品を購入する中進国と、それから下の自給自足的な原料供出国のような国に分けていく。これは一般に「中心・半周辺・周辺」と言います。これでやってきたわけです。これが行き着くところまで行きついています。地球上の最後の市場をこじ開けた瞬間に、もうこれ以上市場がないということがわかったからです。例えば西アフリカにマリ共和国があります。マリの労働者を雇って製品を作ったとしても、賃金が高くなればマリの労働者よりも安い労働者を探さなくてはならない。それがないとなるとマリの労働者の賃金は上がるようになるんですよ。新しい市場がないのだとすると、今ある製品をもう一回買わせるために新商品を開発していくしかない。

——生産国の変遷に加えて、産業の再編成も含めて、多様な意味での新商品の開発・競争が激化しています。

的場——ウクライナでは電気のシステムがアメリカの利権になっています。ソ連時代のシステムをアメリカのシステムに変える。電気のシステムを変えることによって電気事業を一手にアメリカが獲得できる。そういうことでもやらない限り、今あるもので充分だから人はこれ以上ものを買う事はない。これが西欧型資本主義の到着点だし、かつて資本主義と呼ばれてきたものの限界点なんですね。

　これを一般的に利潤率の傾向的低落の法則と言います。利潤率というのはだんだん下がっていくんです。要するに儲けが減っていくんです。減ってくれば最終的にゼロに近づく。利益が上がらなくなる。利益が上がらなくなれば資本主義は破綻する。これを上げるためにどうするかというと原料を安くする、燃料を安くする。そして労賃を下げる。労働者の賃金を一気に下げていきます。これは矛盾なんですよ。

労働者の賃金を下げれば物が売れなくなる。それから燃料原料価格を下げるということは自分の国ならいざ知らず、海外だったら、その国が抵抗すればアウトなんですよ。売りませんよね。今例えば中国やインドネシアが日本に原料を売らないと言ったらアウトなんですね。

　こういう状況が来ている中でシステムがもう危機に陥っている。このシステムを支えるためにＩＭＦというドル基軸体制によって動いていたので、アメリカはドルという切り札を持っていた。アメリカというパチンコ屋がそこでしか使えないドルという玉を世界中に与えて運営したわけです。しかし中国が新しいパチンコ屋を作ってそこに中国製のパチンコ玉であれば使えるよということになって、サウジアラビアは中国製のパチンコでなければ使わないと宣言したわけです。ドル体制が破壊されてくる。今までやってきたアメリカ中心、西欧中心の資本主義では立ち行かなくなるというのが現状ですね。

――欧米資本主義は何度も危機を乗り越えてきました。第二次大戦を勝利して乗り越えましたが、ソ連東欧社会主義の成立と言う新たな危機に直面しました。しかし１９８９年の社会主義圏崩壊でグローバリゼーションに突入して欧米資本主義が地球を丸呑みしました。

的場――そこで次第に力をつけてきたのがサウスと呼ばれている国々。実はある意味、私たちがその発展に手を貸してきたわけです。グローバリゼーションです。グローバリゼーションがなかったらここまで発展しなかった。つまり技術も何もかも教えた――こちらから教えたわけではないんですよ。工場を向こうに作って全部秘密をバラさざるをえなくなる。5年、10年と操業していると、まねをするに決まっています。ものまねどころではない。技術も追い抜かれてしまった。こうして南北のバランスが狂い始めている。まして南の諸国は、生産力やそういう点でも特に工業製品を中心として、ＧＤＰの内容が違う。先進国は金融やサービスというものがＧＤＰの主たるものですけれども、向こうは工業製品です。私たちは物を作れない。アメリカだってものを作れないのです。よその国のものをかき集めて、何か作っているだけです。はっきり言えばＧＤＰの額では経済は比較できないということです。

今岐路に立っているのです。これは先進国にとってはため息の出るような悲観的な要素ですよね。希望なんかないです。この限りではね。でも逆に向こうから見れば希望です。今まで搾取され、馬鹿にされていたアジアやアフリカの民族が自分たちの地位を確立し、そして正当なる貿易ができるようになったのですから。

グローバルサウスの挑戦

――グローバルサウスという言葉ですが、ＮＨＫニュースでもグローバルサウスという言葉を使っているんですね。考えてみると、もともと植民地だったところがかつてアジア・アフリカ・ラテンアメリカ（ＡＡＬＡ）と呼ばれていた時期があって、それが第三世界と呼ばれた。完全に同じではないんだけれども、ある時期には第三世界と呼ばれていた。グローバリゼーションの結果、半ばそれとつながっているのかもしれませんが、グローバルサウスという命名をして、この呼び方を我々がいつの間にか受け容れていることの意味ですね。東西対立が終わって、北側諸国の生産力も利潤率も下がりという限界に直面していく中で、グローバルサウスと呼ばれる国々の側に一定の発展を見ることができる。ＮＨＫでもそういう言葉を使うことになっている。

的場――その間にソビエト、東欧、中国といった社会主義圏があったのですね。かつてその社会主義圏が世界の3分の1の地域を支配していた。そこは資本主義の外にあったのですよ。なぜ外にあったのかというと、先程のＩＭＦ体制の外ですからドルが使えないんですね。そこではルーブル振替といったものが基本通貨としてありました。ソ連東欧圏は資本主義世界市場の外にあったのです。１９８９年から91年にかけてのソ連・東欧社会主義崩壊の後、資本主義世界市場に組み込まれた。組み込んだことによって90年代ヨーロッパやアメリカは一気に経済成長を果たすのです。それまで80年代レーガンの時代にアメリカ経済は停滞していました。90年代に一気に経済成長して、取り残されたのは日本だけでした。他の先進国は経済成長を果たした。

――経済成長の停滞は、ここ数年、日本の労働者の賃金が30年間も横ばいだったことで見事に可視化されました。欧米諸国が2～3倍になっているのに日本だけ伸びない。そうこうしているうちに生産力や経済競争力が世界第2位からどんどん下落を始めました。欧米諸国はグローバリゼーションを一気に利益に変えていった。

的場――その市場も２０００年代前半になってくるとだんだんしぼんできた。もうみんなテレビも買ったし、車も買った。買えるものは買った。だから売れるのは戦後第三世界と呼ばれるようになったアジア、アフリカ地域しかない。ここも長い間原料基地であり、消費市場ではなかったのですが。彼らがテレビや自動車買えるとは考えてもいませんでした。先進国同士で売り買いをしていたのです。ただその原料や燃料は安いところから獲得していたため、原料供給基地は彼等の犠牲的存在だったのですね。ところが今度はそれを売れるようにするための原料国を消費国に変えた。それがアジア、アフリカのタイガーと呼ばれる虎たちの国です。その虎たちがテレビを買えるようになって、そこで一時期潤っていた。

これもやがてだんだん普及していくと同時に弱点になる。自分たちで作れるようになったのです。そうなると今度は売り先がなくなる。今では全商品の総取り替え、すなわち環境問題という手しかなくなったのです。確かに環境問題というのは、それ自体としては科学的な予測だとしても、資本の側は長い間認めようとしませんでした。しかしこれを使って今までの製品を完全に新しいものに取り替えることによって利益が生まれると知るやいなや環境運動に乗るようになる。それが国連の持続可能な開発目標（SDGs）です。

——「我々の世界を変革する——持続可能な開発のための2030アジェンダ」（SDGs）は2015年9月の国連総会の決議ですが、そこに至る過程で、国連機関で議論がなされていました。国連人権理事会でも人々の命や暮らし、人権と関わるので、何度も取り上げられました。その議論を傍聴していて感じたのは、第一に気候変動問題の影響の大きさでした。地球規模の気候変動ですから世界中で命が失われる。しかも気候変動は一様の結果ではなく、一定地域に集中的に悪影響を及ぼす。それが元々弱い立場の先住民やマイノリティを直撃する。第二にアメリカや中国でさえも公式の場で事態の深刻さを認めるようになってきた。後ろ向きと見られてきた国々も対策の必要性は否定できない。第三に世界の経済界も取り組みを始めた。世界経済フォーラムの動向もそうでしたが、国連人権機関に経済人が登場するようになりました。並行して「ビジネスと人権」の原則を策定し始めたことも関連したのかもしれません。その結果かどうかわかりませんが、ＳＤＧｓには気候変動問題だけでなく、多様な人権問題や差別問題への対応が取り込まれていきました。ＳＤＧｓの項目がどんどん増えて、充実していきましたが、逆説的に言えば焦点が拡散する、ぼけるという一面も否定できません。

的場——資本主義の決定的な問題がそこにあります。成長があるところで止まる。でも資本は必ず成長しなくては生きていけない。成長しない資本主義というのはありえないんです。利潤を得ない資本主義というのは成り立たない。そこで妥協できない。妥協できないからどうするかというと、最終的には戦争をやって製品の総取り替えを行うしかないという不幸がある。

こうしたやり方に対し、アジアのような資本主義、シンガポールや中国の資本主義もある。それは非侵略的資本主義です。これについてはアリギの話としてすでに述べました（１６９頁参照）。

この資本主義は共存共栄型とも言えます。それは国家が前面に出ていることに特徴がある。国家共同体ですよ。個人個人の企業がどんどん好き勝手に膨大な利益を増やしていくタイプに対し、規制をしながらやっていくタイプの資本主義。だから国家資本主義と言っても良いかもしれません。かつてのソビエト型資本主義——社会主義を少し色を変えたような資本主義的システムです。国家が規制するような、そして国家が得た利益をそのまま貯め込むんじゃなくて、国家はそれを援助なり、最終的にはアフリカで鉄道を作ったりして還元していくような資本主義。この資本主義というのはかつてソビエトで訓練された社会主義から生まれた資本主義なんです。

これを資本主義と言って良いかどうかは別にして、ソビエトは振替ルーブルという社会主義圏の決済通貨システムを持っていました。振替ルーブルというのは蓄積ができないのです。儲かって得た利益で他の国からすぐそれと同じだけのものを買わないといけない。お互い共存共栄するようなシステムなんですね。もちろん1949年にソビエト主導で結成した経済相互援助会議（COMECON）での理想は完全に実現したわけではないのですが、物々交換のような形で貿易を行っていました。これはあくまでも理想です。理想だけれどもこういうタイプの資本主義というのは西側では考えられません。個々の企業が好き勝手にやることで国家や社会はまったく規制できない。一方でこうやって規制しながらやるような資本主義がある。そのような資本主義はいまだ中央集権的ですが、そこからもう少し進んで、自主管理型社会主義のような共存共栄で様々な地域が、それぞれが自分たちのやり方で決めるような世界ができる可能性もあります。

――中国型資本主義――中国というのは非常に大きいので、わかりにくいんですが、そこで想定される政治形態というのは、西洋の国民国家とは違うものでなければいけない。

的場――違う形であってもあり得る。つまり選挙型民主主義というのがあります。選挙しない形の民主主義もあります。例えばモンテスキューが『法の精神』の中で三つに体制を分けているんですね。1つは絶対王制ですね。民主主義は貴族制の中に入るのです。なぜ民主主義が貴族制の中に入るかというと、貴族の何人かが選挙権を持っているわけです。それで国王を選んだりする。選挙権が全員に拡大した場合が現在でいう民主主義ですよね。

何人かが参加して、お互い同士、誰かを選ぶ。だから貴族制の中にも制限された民主主義がある。でも貴族制の良いところもあるのですよ。モンテスキューは18世紀半ばだから、貴族制の良いところは投票する人自体がお金を持っていて、何か失敗したら自分で弁償する。自分で責任を持つ。その意味では全員が票を得るよりも責任を持つほうが良い。こういう意味で貴族制の方が良いというのが彼の考え方ですね。18世紀という限界が彼にはあった。民主制にもいろいろあって、完全に開け放たれた全員参加型というものもあるけれども、そうじゃないのもある。それから直接民主制のようないわゆる中央集権を作らないで、分権型というのもあります。そういう意味ではいろんな形があるだろうと。もちろん専制型というのもあるわけです。良いか悪いかという価値判断ではなくて。

――民主主義を政治理念として把握すれば、抽象化された価値基準としていかようにも使えます。改革の目標にもなるし、批判の原理にもなる。しかし具体的な統治形態として把握すれば、民主主義が貴族制と親和的な面がある。

的場――そういう中でそれぞれが自分たちのあるべき方向を見出して行けば、民主主義に向かっているのかどうか自分で判断できる。全てがアメリカ・イギリス型に向かっているという形で民主主義を理解したら大変です。無理しないでそれぞれなるようにしかならないという考え方もある。いわゆる多様性、マルチナショナルというマルチカルチャーという問題として、アジアがオルタナティヴを提起し始めていることも事実です。だから西側で言うところの選挙をやっていないじゃないか、一党独裁じゃないかという批判はそれだけでは通らない。それを国民が望んでいるかどうかという問題がある。ただ私たちのように西洋型で勉強した人間は、小学校から学級委員を決めて、選挙がないと絶対おかしいと思っている。長い歴史で見たらそうとも言えないのです。

――アジアでも、中国や朝鮮民主主義人民共和国の民主主義を私たちはなかなか理解できません。タイやミャンマー（ビルマ）の民主主義をめぐる闘争も、台湾や香港の学生たち、若者たちの民主化闘争も、民主主義とは何かをめぐる闘いでもある。

的場――私たちがどうやったら自らの身の丈にあった民主主義を実現できるのか。進むべき方向を持たないで急激に模倣すると戦争しかないのですよ。民主主義を持っていない国は許せない。潰していく。こうなるから、少し相手を見て相手の立場を考慮する方向というのが、今アジア、アフリカ、グローバルサウスと言われる方にはある。そうした多様制があって良い。そういう形というのもあり得るじゃないかと思います。

――仮にグローバルサウスのシステムが力を得てどんどん膨張していくとすると、その時に西欧資本主義は黙って静かに衰退していくわけではない。

的場――ないです。いま暴れています。手負いの虎です。

――地球全体の転換期という位置づけをするとすると、その衰退の仕方、それはソフトランディングするという可能性があるんでしょうか。

的場――それは難しいところですね。かつて希望に満ち溢れて、この国に行きたいなと思っていたのがチリでした。チリのアジェンデ政権が選挙によって社会主義を実現しようとした。世界が注目していました。彼はアメリカ系の企業などを国有化しました。やがてキューバのフィデル・カストロ（1926～2016年）がチリに招かれました。それでこんな発言をしています。

「私はこの国の将来に対してとても希望を持つと同時に不安を持つ。それは何故かと言うと、今までどの国も議会で民主的に権力を取った国がそのままでもったことを見たことがない。その意味では不安だ。しかしもし実現すればキューバ型のようなゲリラによる闘争ではなく、民主的に新しい社会が実現できる希望が出てくる。それはとても素晴らしい。しかしいずれにしてもどちらになるか不安である」。

その1年後の1973年9月にアジェンデ政権はクーデタで崩壊します。それは9月11日火曜日で、2001年の9・11と同じ日なのです。これは偶然ではないのです。あえて同じ日にぶつけたと思います。2001年9月11日火曜日――世界の潮目が大きく変わった。1973年は資本主義の反攻を記念する日だったのです。ヴェトナム戦争やキューバでアメリカ資本主義は敗北して、衰退したのですが、捲土重来、猛攻をしかけて、あれから潮目が変わって1991年にソ連が崩壊し、大勝利に沸いて90年代が終わる。しかし2001年の頭にもう一回それが逆転する。元に戻るよという狼煙が2001年と言えるのです。同じ日にわざと当てたんだと思います。9月11日火曜日――1973年チリの政治家・詩人のパブロ・ネルーダ（1904～73年）はこう言っています。ニクソンという奴を殺さないかぎり絶対にうまくいかない。最終的にはアメリカを崩壊させないかぎり勝利はないと。

――２００１年のダーバン（南アフリカ）での反人種差別世界会議（人種主義、人種差別、外国人排斥および関連のある不寛容に反対する世界会議）にカストロが参加しました。これは国連人権高等弁務官が主催した世界会議で、各国首脳、国際機関の指導者、人権ＮＧＯメンバーが1万人以上集結して、人種差別との闘いをめぐって大激論をしました。私もＮＧＯのメンバーとして参加しました。会議はメインの政府間会議と、それに先行したＮＧＯ会議の二つを柱に、数えきれないくらい多くの会議、デモンストレーション、アピールが溢れる、熱気に包まれた会議でした。

ある日、ＮＧＯ会議でカストロが演説しました。カストロが演説していると聞いて、私は会場のクリケット場に慌てて駆け付けました。世界中から来た数千人のＮＧＯメンバーたちが興奮していました。アフリカ南部の諸国から来た人たちが多かったので、みんな飛び上がったり、踊ったりしてカストロを称えていました。カストロの演説は、西欧資本主義による植民地支配と奴隷制を非難し、アメリカ帝国の戦争病を非難し、人民の闘いを格調高く謳い上げるものでした。

政府間会議でもカストロの演説がありました。私はＮＧＯメンバーに許可されたスペースを乗り越えて、最前列（つまり政府代表の席の前）に行ってカストロの演説を聞きました。カストロに話しかけようとしたのですが、セキュリティスタッフに排除されました。

ダーバン会議は近現代史の資本主義・植民地支配の暴力を糾弾する場になりましたが、アメリカとイスラエルがボイコットしました。アラブ諸国を中心に、イスラエルによるパレスチナ人迫害を取り上げて、占領下パレスチナにおける重大人権侵害を非難しました。これに対してイスラエルとアメリカが猛反論しましたが、分が悪くなったために途中でキャンセルしたのです。ダーバン会議の会期は当初予定では8月31日から9月6日でした。宣言のまとめに時間がかかったため一日延長して9月7日に満場一致でダーバン宣言を採択しました。アメリカとイスラエルが不参加で、他の諸国は日本を含めて宣言に賛成しました。その４日後が９・11です。ダーバン宣言に対する猛烈な反動が始まりました。「テロとの戦争」です。

的場——まさに平和的に移ることは難しいということです。平和的に移れるかどうか。マルクスも１８７２年でしたか、パリコミューンの翌年、ハーグで第一インターナショナルの総会があったのです。第一インターナショナルの最後の会議ですが、その後アムステルダムに誘われて、労働者の前で語った有名な演説があります。オランダやイギリスでも革命というのは武器をとって闘わなくちゃいけないのかと問われて、マルクスは「このような民主的に進んだ国においては平和的に社会主義に移行します」と言ったのです。マルクスは暴力的革命論者なのか、平和主義者なのか議論があって、平和的であることの証明としてこの答えが引用されます。ただ犠牲を払わないで平和裏に移行することは本当に可能かどうか。これが難しい問題です。確かにこれは素晴らしい。しかし現実にはそれまでの因縁があり、簡単ではないのです。アメリカと日本との関係を見ても一筋縄ではいかない。悲しいかな大戦争に発展する可能性もある。ちょっと政治を誤るとそうなる可能性が今あります。その辺の微妙な岐路に差し掛かっている事は間違いないと思いますね。

——転換プロセスをどのぐらいのスパンで考えるかにもよりますが、１９８９年の前、学校教科書的に言うと、世界地図を描いて「アメリカ、日本、ＥＵ」——それぞれの人口、経済力、生産力ですね。学校教科書には必ずその三つの円が書いてあったわけです。そこでソ連東欧は無視されていたんだけれども、今それを書くとすると、「アメリカ、中国、ブリックス」も含めてたくさんの円が描かれることになる。たくさんの円の中のいくつかが、いわゆるグローバルサウスの中にある。なおかつヨーロッパ、アメリカの円が徐々に縮小していく。そういうスタイルになると思いますが、そういう図も学校教育的に描かれなくなっています。日本があまりに小さくなったため、描けなくなった。

的場――なかなか難しいと思うんですよ。いつの間にかGNPがGDPに変わったんですよ。私はGNPの時に大学生でしたから、GDPに変わった時に驚きました。言葉が変わる時は注意しなければいけないんですね。GDPに変わった時は多くの国がグローバル化して海外に投資し始めた時期です。海外の収益が膨大になり始めたのです。昔だったら海外の収益もGNPに入るのですよ。今でもGNPにしていたら結構日本のGNPは大きいのです。300兆円も投資しているのですから、利子が入ってくるわけですね。

だけどこれがGDPでは見えないのです。見えないとはどういうことかというと、国内総生産だけしかはいらない。表面的に小さく見える。何もしないで金を稼いでいるのではないと見せているのが今のGDPなんです。グローバリゼーションによって変わったんです。ちょうど1990年代です。でも昔のGNPで言ったら、今だってまだ西側資本主義諸国は投資した資本が膨大で、これが利子を生んでいるからそんなに小さくないのです。ただ最初に言いましたように、工業製品を作っているのは我々ではない。

投資されたお金で非先進国が工業製品を作っている。これはヘーゲルの言う「主と奴隷」の関係です。奴隷がものを作っているから、奴隷は確かな世界に生きているわけです。主は毎日魚を釣ったり絵を描いたりして何もしていないから、実は自分1人じゃ何もできない。今の世界はこうであることを知っておかなければいけない。ただその辺であまり露骨に出したくないというのがあります。いよいよ日本は50年ぶりにドイツに再逆転されるというショッキングな話があります。50年前を見ると日本は西側世界の第2位、当時はソビエトが第2位だったので、日本が第3位だったのですね。もっともソビエトは当てにならないと言われていました。だからドイツを抜いて世界2位だったんですね。

アジアで唯一の植民地

——日本は１９８０年代のバブルの繁栄から暗転して１９９０年代以後、経済成長が止まり、労賃も停滞しました。かつて世界を席巻した家電業界の凋落に見られるように、国際的な競争力を失ってきました。同時にこの間、女性の政治的社会的地位の低さが話題になっています。世界経済フォーラムの統計では女性の地位が世界で１２０位前後という惨憺たる数字が出ています。「失われた30年」というのは経済に焦点を当てた表現ですが、それ以上に大切なものが失われているのではないかと、みんなが思い始めている。

的場——日本のボタンの掛け違いは明治維新にあったと思います。明治維新で西洋化し、非ヨーロッパ世界で唯一独立国だと思ってきた日本が最初は有利に見えたけれども、実はとても危険な道を歩んだのですね。明治維新は失敗だったと思うのです。何故かと言うと、基本的にアジアで孤立し、ヨーロッパの市場に組み込まれて、価値観から何から西欧化してしまった。そしてそれを普遍的価値だと錯覚してしまった。そのためいまだに神経症というか、精神的に不安定な情況です。自分のやっていることに自信を持てない。

ご飯食べながらオペラを見に行かねならぬという落ちつきのなさ。様々なものが自分の中で十分納得できていない。西欧文化は普遍的文化だと信じているのだけれど、どうも上滑りで自分のものにできない。一方で西欧に憧れる分だけ、自分の中のアジアを蔑視しなければならず、アジアのように惨めになってはいけないのだとプレッシャーが入る。

頼りにするヨーロッパに近づけば近づくほどヨーロッパは相手にしてくれない。その分、アジアからも相手にされない。孤立化しているんですね。日本を西欧文明に乗せたのは、薩長と組んだイギリスです。イギリスは日本を利用してロシアの南下を防ぐための要塞にした。まるで今のウクライナの状態です。日本をうまく動かしながら日清戦争をやらせて、日露戦争をやらせた。自分たちが極東で戦争できないので、日本に代理戦争をさせてイギリスの権益を守った。その分、非西欧圏で唯一の独立国にした。しかし第一次世界大戦後、イギリスの権益を侵した日本はアメリカやイギリスにそっぽを向かれたのです。第二次世界大戦によってほぼ植民地状態にさせられた。アジアやアフリカの植民地はまがりなりにも独立した一方、日本は植民地のような状態が戦後続いている。皮肉なことですが、アジアで唯一の植民地になったのは実は日本であったわけです。他の国には少なくとも自治権があって、外務省がちゃんとあって、国の独立があるのに、日本にはない。

――そのフレーズは初めて聞きました。「アジアで唯一の植民地は日本だ」というのは驚きですが、同時になるほどと思います。

的場——精神的に植民地であるというのは、何よりも価値観なんですね。テレビを見ていたらわかるでしょう。私たちは何かを学ぶ時、例えば「エッフェル姉さん」もそうですし、明治以来すべて西欧に依存する。少子化問題と言いながらフランスに行くでしょう。なぜ多産のアフリカに行かないのか。要するに西欧に行きたいための口実です。パブロフの犬のように困ったら西欧頼みという価値観がすべてに染みついているのです。本当に学ぶべきことを学ばないで、薄っぺらな輸入をする。それも時代遅れの西欧から学ぶことしか考えない。要するに西欧に価値観をとられているのです。

——エッフェル姉さんは２０２３年の流行語になりました。国会議員がフランスに少子化問題の調査・研究に行ったのですが、観光に励んでばかりで遊んでいたのではないかと問題になりました。エッフェル塔前の記念撮影写真しか成果がない。少子化問題を調査した報告書は作成していない。何も問題解決しようとしていないと批判されました。何を学ぶかはどうでも良くてパリに行くことしか考えない。

的場——現実を見て下さい。輸出輸入の総額を見れば歴然です。アメリカとの輸出入は、中国に比べたらだいぶ少ないのが事実です。第一位は中国です。輸出21％、輸入24％位なんです。アメリカは輸出17％、輸入10％位なんです（２０２１年の統計）。アメリカはまだ上位ですが、ヨーロッパなんて輸出９％、輸入10％です。ボジョレーヌーボーの解禁日が近いのですが（11月８日に対談）、さぞかしフランスから多く輸入していると思われるかもしれませんが、フランスの輸出入額は10位にも入らないのです。かろうじでドイツが10位以内に入っていますが。アジア全体で輸出は58％、輸入は58％なのです。

私たちが着ているものの多くは中国製です。縫っているのはほとんど中国人やバングラディッシュ人、事実はそういうことなんです。当たり前ですがアジアの国なのです。でも心の中ではそう思ってない。日々中国と韓国を馬鹿にしながら、私たちはヨーロッパ水準だと言っている。これは精神的に完全に西欧の植民地だということです。

——明治の脱亜入欧、昭和の脱亜入米の意識はいまだに日本人に根深く存在しています。政治制度も経済も、文学も音楽も西欧中心主義です。一定の多様性が見られるようになっていますが、価値基準が西欧のまねです。アジアの中で唯一先進国であるとか、G7の一員であるとか、とにかく欧米諸国に認められた日本を誇りたがる。首相が訪米して「アメリカ大統領と会えた」と自慢話をします。大金を取られて、命令されて帰って来るだけなのに。

的場——もう一つはやはりアメリカ軍の存在ですね。米軍基地問題はやはり日本を永久に「戦後」という状態にしてしまった。戦後という口実をはずせば、ずばり植民地にしてしまったのです。この基地問題がいまだに解決していないということは、もはやそれは基地ではなく、日本という国家の自治権を奪われているということです。最近、トランプ大統領（当時）は横田基地などから入国します。日本の玄関ではなく、あたかも自分の国のように裏窓から勝手に侵入しているのです。

——2020年の新型コロナ問題の時に、そのことが露呈しました。新型コロナ予防のために海外からの入国を制限しました。空港では外国人の検査に力を入れました。日本政府もメディアもしっかり検査しているなどと嘘を並べました。成田空港や関西空港はまだしもだったかもしれません。しかし米軍基地からの入国は日本の統制下にありません。このため沖縄県の嘉手納や普天間、神奈川県の横須賀、東京都の横田は管轄外です。入国審査は日本側がやっていることになっていますが建前だけです。自治権がなく事実上の治外法権です。沖縄で新型コロナの感染率が非常に高くなっても、対処しようがなかった。

日本は、台湾や朝鮮半島を植民地にしたということとは別枠で、GHQによる間接占領が終わった後に、日米安保体制の下で、日本がアメリカの政治、経済、文化、社会の圧倒的影響力の下で、今の日本を作ってきた。脱亜入欧から脱亜入米になって、その先に今の日本人のメンタリティーが結成されている。極めて植民地的で、植民地になりたがる旺盛な精神に溢れている。

的場――インドと中国と日本の三つを比較すると面白いと思います。インドは植民地になりました。しかしインドは精神的には抵抗しました。ヨーロッパの本や文化を徹底して否定しようとしたのです。西欧人から暴力を受け、叩き潰されました。それでも頑強に抵抗し続けたのです。

中国も同じです。中国文学研究者の竹内好（1910～77年）は、抵抗ということを文明の一つにあげています。抵抗こそ独立した文明の証だと言うのです。ヨーロッパ的個人主義とアジア的共同体思想がどう結び合うかということなんです。私たちは個々人に分離し、個人がそれぞれ人権を持ち、個人が発展することが正しいと言っているけれど、一方でアジアに残る共同主義との関係を十分に清算してないんですね。棄てて乗り換えただけだから自分の中で納得していない。納得するためには抵抗するしかないんです。どこまで抵抗したかなんですよ。本当に抵抗し、そして自分のものを見つけたら良いのですが、抵抗しない限り自分のものにならないのです。今のアジアの発展は西欧のものまねではなく、抵抗の結果であるということは忘れるべきではありません。日本は、この抵抗の過程をアジアから学ぶべきだったのかなと思います。とことん抵抗ですよ。殺されますよ。当然処刑です、反対したら。

脱植民地のために

――150年の歴史の中で、抵抗せず、追いつき追い越せ路線でした。一時は追いついたつもりになっていたけれども、独りよがりにすぎなかった。西欧になりたがっても、いつまでもなれない。追いつけない。そのことを思い知らされても同じ路線を断念できない。コピー文化に満悦し、エピゴーネンを目指してきた。ここから離陸するには革命的な変化が必要です。植民地からの脱却が必要ですが、そういう問題意識を持っていません。過去の歴史における日本植民地主義を反省することもなく、現在の日本が置かれている植民地状況からも目を背けています。二重の植民地状況に痛痒を感じることなく生きている。

的場――やはりアジア回帰なんです。それは簡単ではないのです。「ごめんなさい」ということも含めて、アジアに向き合う必要があります。ちょんまげを切って、背広を着て西洋人になって威張っていたけれど、それは上辺だけだったのだと認めることです。やはり元の歴史に戻ることですよ。これがおそらく日本にとっての神経症を治す薬だと思います。もっと静かに、高望みしないというか、自分の身の丈に合ったものに変えていく。私たちの学問もみんなそうなんです。

――東アジアの国際情勢の中で具体的に考えると、中国・台湾問題や日本・朝鮮半島問題があって、在日米軍がいるという問題設定から言うと、米軍が日本を捨てて速やかに帰ってくれるような政治状況を作らなければいけない。

的場――問題は冷戦が形を変えずっと続いていることですね。冷戦が終わっていないのです。ヨーロッパにおいては冷戦を一旦切ろうとしたんです。結局切れなかったのが今回のウクライナ問題なのですね。冷戦状況がヨーロッパにおいて一旦終わった。それでヨーロッパは冷戦の状況を変えるためにEUを作ったのです。EUはその前からあったのですけれども、冷戦が起きてEUは方向を変えました。EUは最初11カ国だったのに、東欧まで入れてしまった。そしてどんどん東へと侵略していった。それが今のウクライナ問題にもつながっていく。そうすることでEUはどんどん緊張を生み出したのです。東欧という1番の未解決地域を組み込んだことで、虎の尾を踏んだのです。だから冷戦状態に戻ってしまった。アジアにはEUのようなものがなかったのです。だからアジアでは台湾も朝鮮も韓国もみんな昔のままです。冷戦は終わったけれども、そのままの冷戦的緊張関係が維持されている。これを変えていく何らかの構想がない限りは変わらない問題です。

――変えるのは東アジア共同体構想だったり、あるいは東アジアに非核地帯を作ろう、東アジアに人権システムを作ろうという。いろんな話をしていますが、現実的な可能性は極めて限られている。

的場——日本が唯一西洋だからなのです。西洋という世界の中に入っている。ですからアジアに対する理解がない。例えば大東亜共栄圏の構想がそうでしたね。大東亜共栄圏に至る日本の明治以降大正時代にかけての思考というのは「日本独我主義」に陥ったと思います。いわゆるアジア回帰を見せながら、実は「日本回帰」だったのですよ。アジア文化を日本が全部背負っていて、ヨーロッパに対してはアジア文化の象徴は日本だと主張する。アジアに対しては、日本は西洋文化の象徴なんだと主張する。アジア文化を横取りしながら、そのアジアを軽蔑してしまった。だから大東亜共栄圏も受け容れられるはずもない。アジアの中の文化圏として、私たちは大東亜共栄圏というのを実は一度も真面目に考えた事はなかった。考える気もなかったんです。

——大東亜共栄圏の時期の日本法学は「日本法理」と「大東亜法秩序」を掲げました。１９３７年に文部省が作成した『国体の本義』に則って、神勅や万世一系の論理を法学に応用しました。司法省が音頭を取って日本法理研究会を設置し、あらゆる法理論を日本法理の観点から鋳直しました。私の『ジェノサイド論』（青木書店、２００２年）で取り上げました。日本法理は第二次大戦後、新憲法の下で忘れ去られました。しかし誰も検証せず、反省もしませんでした。日本法理が日本法学にそのまま潜み続けています。日本国憲法も象徴天皇制ですから、法学は天皇制から脱却していません。忘れたふりをして言及しないだけです。神権絶対主義の天皇制から近代西欧の王政にシフトして、アメリカ支配下の「天皇と国民」の野合（日本国憲法第1条）です。

　最近の東アジア共同体論も困難を抱えています。私も仲間と一緒に東アジア共同体論を唱えているのですが、最初の困難は国民国家を前提とした議論が立ちはだかることです。東アジア地域の民衆主体の共同体論にたどりつかない。財界の側からも東アジア共同体論というものが出てきて、日本資本主義の延命策としての東アジア共同体になっている。平和学とか研究者レベルの東アジア共同体論というのはそうじゃないようにしようとしているにもかかわらず、やはり西欧的観念が頭の中に残ったままの東アジア共同体論になってしまう。

的場——難しいのは、私たちは資本主義国にいて、資本主義の中で生きているが故に、私たちの生活を保障しているのも資本主義体制なんですね。だから私たちの生活を救うのも資本主義体制の中のアジア戦略である事は間違いない。それ以外の選択肢はないのです。だからロシアや中国と接触しようとすると、この日本資本主義の延命策となる。

その関係で言えば、日露友好も、ロシアで天然ガスを開発している三菱と三井を救うためにロシアと仲良くしようというように捉えられかねないでしょう。それも真実なんです。そうやって自分たちのエネルギーを守ろうとする事は、一方で日本の企業の延命策でもある。しかし日本という国の延命策でもあるのです。この辺のことをどう判断するかという問題が、今突きつけられています。

アメリカが日本の三菱や三井がロシアに近づくことがまずいと判断すれば、経済制裁として、三菱と三井もその犠牲になる。日本資本主義はそうした口実で潰されていく。実はウクライナ戦争で皮肉な結果ですけれども、日本とドイツが1番損をしているのですね。天然ガスのパイプラインを作って、あれだけのお金をかけたにもかかわらず、それがアメリカによって破壊されています。そう考えるとウクライナ戦争も結局の敵はロシアではない、日本とドイツなんだとも言えます。ドイツと日本を潰すために、ロシアとの緊張関係を煽る。アメリカはドイツと日本というライバルを潰している。結局味方の方を潰している。ロシアは単純に敵ではない。味方かもしれない。実際、ロシアや中国へのアメリカの制裁は、ロシア経済や中国経済よりも、ブーメランのように戻ってきてＥＵや日本を破壊している。政治という世界は複雑です。結果論として一番損してるのは日本とドイツとも言えますよ。深刻化するのは日本かもしれません。経済がすでに停滞していますから。その辺を複眼的視点で見なければなりませんね。

晩期マルクスのノート

――斎藤幸平『ゼロからの「資本論」』（ＮＨＫ出版新書、２０２３年）、その前の『大洪水の前に――マルクスと惑星の物質代謝』（堀之内出版、２０１９年）『人新世の「資本論」』（集英社新書、２０２０年）が評判です。気候変動問題への現在的対応と、晩年のマルクスの思想をいかに読み解くかが密接に繋がっています。

的場――彼は哲学者の平子友長（一橋大学名誉教授）の新メガの編集グループにはいっています。その担当巻がマルクスの晩年の草稿です。これは第四部なのですが、私もその第四部の29巻をかつて担当していました。

そのグループが担当して数年前に出版されたのは第四部18巻で、１８６４～68年のマルクスのノートなんです。どんなノートかというと、マルクスは若いうちは猛烈な反ロシア主義者だったのですね。いわゆる資本の文明化作用というか、どんな世界もインドも含めて西欧の資本主義に必然的に巻き込まれていって資本主義化せざるをえないと主張していたのですね。出版された論文や本を見ても、そうした記述に溢れています。

しかしマルクスは途中で少しずつ考えを変えていくのです。いつ頃変わるかというと、だいたい『資本論』第1巻を書いた1867年位です。その変わる時の彼のノートがこの草稿です。今出ているノートよりも後の部分はまだ出版されていないんです。1868年『資本論』をロシア語に翻訳したいという話がダニエリソンからあり、あるとき訳者のロパーチンがロンドンのマルクスのもとを訪ねます。それでなんと言うかというと、私たちはナロードニキでロシアの共同体を支持している。先生は、ロシアは資本主義にならなくてはいけないのだと本当にお思いですか、それは歴史の必然ですか、と質問をしました。そこでマルクスもおかしいと思い始めるわけですね。そして二つのロシア語の本を紹介されます。一つはフレロフスキーの『ロシアにおける労働者階級の状態』で、もう一つはチェルヌイシェフスキーの『J・S・ミルの経済学評注』です。これを読むと、ロシアの経済学者はマルクスと全く違うことを考えていることがわかってくるわけです。ロシアの資本主義は西洋の資本主義と発展の仕方が違うということです。

そうしたことをマルクスはノートにとったわけです。そのノートをマルクスは発表しないまま亡くなります。唯一知られているものは『ヴェラ・ザスーリッチへの手紙』です。ナロードニキのザスーリッチという女性が、マルクスが亡くなる少し前に質問したのですが、マルクスがそれに答えた手紙がこれです。その手紙の中で、ロシアのミール（農村共同体）の発展は資本主義を崩壊させるための手段ともなりうると答えるのです。そしてこう答えます。私が『資本論』で対象にしているのは、西欧だけなんだと。

――ザスーリッチへの手紙は有名で、多くの研究者が言及してきました。ただマルクスのそれまでの著書論文とはトーンが違うためか、ザスーリッチへの手紙の位置づけは難しい。他のノートが公刊されたので、読み方も発展してきた訳ですね。

都市と農村の対立

的場――そのノートの一部が18巻です。このノートは基本的には農業に関するノートなんです。マルクスは農業についてとても関心を持っていました。当時アイルランド問題に関心があったからです。アイルランド問題とは何かというと、資本主義は工業が中心で農業はそれに従属していくと考えられますが、そうではないという問題でした。工業は農業労働者を吸収していくのが基本ですが、その環流現象があり、それがアイルランドです。アイルランドは農業労働者が一旦イギリスで労働者になります。イギリス経済が衰退すると、彼等はもう一度戻って農業をやるのです。出ていく過程だけに関心を持ちますが、その逆がある。つまり農業が工業労働者の調節弁になっている。農村と都市との対立が明確になります。

資本主義の中で農業はとても不利な立場にあります。工業労働者の調節弁というだけでなく、農作物を工業のある都市に送るのですが、その滋養分は都市から農村に帰ることはない。こうして農地はどんどん痩せていくのです。痩せるからどうするか。資本主義は植民地から肥料を購入してくる。例えばチリに行って鳥のフンのグアノを買うんです。そのフンを買ってそれを農村に持っていって撒く。農業の資本主義化です。農業は資本主義的植民地主義と関係しているのです。それでも衰退は避けられない。これに関して実は日本の例が出てくるのです。マルクスは日本に関する書物からもノートをとっています。江戸末期の日本にいたイギリス人の報告書を読んで、こう言っています。日本は自分たちの排泄物をそのまま畑に持っていくことで、都市と農村は有機的に環境を破壊しないで成り立っている。これは一つの循環だ。日本は資源を無駄に使わない。しかし資本主義社会である西欧は人口肥料と家畜の排泄物でそれを補っている。これが都市と農村との分離です。もちろんそのイギリス人も、日本では家畜を飼っている農民が少ないこと、だから人糞に頼っているのだということを指摘しています。

――江戸が資源循環的な町づくりをしていたことは日本史でも随分と研究されてきました。マルクスの時代にこうしたことに着目していたのは驚きです。

的場――問題は資本主義が農村を疲弊させると同時に自然の再循環の環境も崩壊していくことです。もちろんマルクスは現在の環境問題を知っていたわけではありません。でも資本主義は不完全なシステムであり、資本主義は自然界を維持しサステナブルにできないシステムになっていることがわかります。サステナブルにできないシステムを変えるためにはどうしたらいいか。農業と工業を有機的につなぐ方法、つまり都市と農村の分離をなくす方法が必要だということです。マルクスはそれに取り組もうとしていたのです。

　その中にミール共同体、アジア的、ロシア的農業というのがあるというわけです。アジア的共同体の農業は基本的に循環していくわけです。資本主義は循環を断って、農業はアフリカに任せるという形で分業体制を進める。それが環境をどんどん悪化させる。おそらく晩年のマルクスは資本主義的な発想を少し変えて、資本主義が生み出した世界分業が資本主義を危機に陥れる可能性に気づいていたと言えます。

この話はマルクス研究者の間ではかなり知られていた話です。初期のマルクスはアンチロシア、アンチ東洋だった。ところがだんだん東洋の魅力に取りつかれていく。70年代から読んだ本はほとんど農業、地学、数学、共同体、歴史などに関するものだったのです。

西欧とアジア

――経済学批判を進めた中で、研究が深まり視野が広がり、経済史に踏み込んで自分の仮説を実証的に検証する。そのために関連分野を渉猟したわけですね。西欧の外に視線を向けて、西欧とそれ以外との関係をいかに把握するかに向かった。

的場――非西欧に興味を持ったことは間違いありません。若干話が飛躍してるかもしれませんが、マルクスはユダヤ系で「ヨーロッパ人」ではない。幼い頃からずっと自分はヨーロッパでは馴染めないと思っていたようです。西欧主義者として育ち、生きてきましたが、自分に合わないことに気づきはじめたと言えます。マルクスは晩年1882年に初めてヨーロッパの外のアルジェリアに行きます。地中海を超えてアフリカ北部です。病気の療養でした。アルジェリア人の中で生活する。彼は家族や友人の間では「モール人」と言われていた。モール人はアラブ系ですので、ユダヤ系のセム族とも近い。写真を見ると、マルクスは典型的なユダヤ人の顔をしています。

マルクスの晩年は、西欧化した自分を変えていく時代であったとも言えます。西洋化、資本主義というものを相対化していったと思われます。マルクスとアジアとの関係の研究は、オリエンタリズム論がはやった１９７０～80年代に進みます。それまでは西欧化のマルクス研究とアジア的共同体研究が一般的であったのですが、少し変わりはじめました。特にこのノートが出ましたので、そのことがより明確にわかったというわけです。それ以前の研究、例えば小谷汪之（東京都立大学名誉教授）の研究はこうしたノートを使えなかったわけです。

――そのノートを読んでいないけれどオリジナルな発想を示した、小谷汪之『マルクスとアジア――アジア的生産様式論争批判』（青木書店、１９７９年）『共同体と近代』（青木書店、１９８２年）が有名です。後に『大地の子――インドの近代における抵抗と背理』（東京大学出版会、１９８６年）、『不可触民とカースト制度の歴史』（明石書店、１９９６年）、『穢れと規範――賤民差別の歴史的文脈』（明石書店、１９９９年）を出しています。

的場――１９６０年代に山之内靖『マルクス・エンゲルスの世界史像』（未来社、１９６８年）がマルクスのインド論やアジア論を展開しています。使った文献はもっぱら『マルクス＝エンゲルス全集』にある『ニューヨーク・デイリー・トリビューン』からの記事でした。だから資本の文明化作用というか、西欧的発展がアジアにもたらす文明化作用を世界史として捉えることになっています。今では新ＭＥＧＡで晩年のマルクスのノートが公表されていますから、この問題については大きな再考を必要とするでしょう。

——資本主義の理屈から言うと、アジアやアフリカを農業にし、ヨーロッパが工業で分業体系を作るという大きな枠が発達しても、今やグローバルサウスの南側でも工業生産が発展しています。

的場——問題はここなんです。ギュルリッヒという人物がいます。彼はドイツの保護主義を主張する経済学者です。マルクスは『ドイツ・イデオロギー』を書き上げた後、自由貿易と保護主義の問題が議論されたこともあり、ギュルリッヒの膨大な全5巻本を丁寧に読みます。その時までマルクスの経済史的知識は極めて薄いものでしたが、ギュルリッヒの『現代の最も重要な商業取引国家の商業、工業、農業の歴史』を読むのです。これはとにかく膨大なノートです。マルクスの数あるノートでもこれほど一つの書物について取った長いノートはない。新メガのⅣ／6巻で800ページを越えるノートなんです。このノートは1847年に取られます。その年はほとんどこの読書に割いたと思われます。『ドイツ・イデオロギー』では十分な証拠を出していない。いわば思いつきの分業論です。これを歴史的史実で証明しようとしたのがこのノートです。

内容は、世界はいかにして経済的につながっているか、世界を結びつけるのが資本主義的発展なのだということを、具体的に示したことです。農業と工業を結びつける世界の貿易は何であるのかを16世紀からずっと展開して、マルクスはそれを逐次ノートに取っていたのです。マルクスは結論部分でこう書きます。中南米やアジア、アフリカなどは西洋と分離して存在するのではなく、資本の運動の中で結びついている。資本の運動はそれらの地域を全て文明化していく必然性を持ちながら、いわゆる原料供給基地などとして各地域を位置づけ、世界全体で動くシステムになっていると結論づけます。

──ヘーゲルやヘーゲル左派の哲学研究から始まって、経済学批判を敢行したわけですが、理論批判だけでなくさらに歴史に入り込んで歴史的実証を考えた。現実の問題に対して、とことん追及する姿勢はジャーナリストらしい。自分の理論が現実に合わないと気づくと再検証する姿勢に学ばないといけません。

的場──これからの世界の社会主義運動は、その中核である先進資本主義国をターゲットにして、ここをなんとかしなければいけないんだとマルクスは考えることになります。当時自由貿易論について議論されていて、自由貿易によって資本主義は発展するが、まだ資本主義が発展していない地域ではブルジョアも権力を握っていない。議会を握っているのは封建領主などである。そこにブルジョアたちが出て行って、それをこじ開けようとしている。そこでマルクスはこう主張します。労働者はブルジョアを支持しよう。資本主義体制を確立して封建制を打倒しようと。そしてブルジョアによる発展を進め、それに抵抗するプロレタリアートの増大する社会を作ろうと。彼の頭の中にあったのは、世界は先進資本主義国によって回っているのだから、当面そうした世界が津々浦々に発展するのを助けよう。そうすれば階級闘争が激化し、先進資本主義国から共産主義に転化していく。その意味で先進国から共産主義へ進むという論理でした。

──先進国革命論では、発展途上国には先進国の革命を待つことしか残されていない。これは先進国と後進国だけでなくいろんなテーマで起きる矛盾です。階級闘争が成就するまでジェンダー差別に手を付けず、男性優位の革命論が追及されます。弱者を解放するための階級闘争のはずが、弱者を分断してしまいます。

的場——後進諸国の側では、先進諸国のように工業化するまで革命の時を待たなくてはいけないのかと疑問が起こる。当時マルクスはそうした疑問を受け付けませんでした。待たなくてはいけない。イギリスやフランスの労働者たちの発展を待ちなさいというわけです。いずれにしろ世界が一蓮托生でできている以上、その決壊は後進地域からでもありうるわけです。彼はこの問題をなかなか解決できなかったのです。それで彼は勉強し始めます。やがて後進国の農業や原料生産が先進資本主義国の発展を決定づけていることに気づく。先進国の原料である農業、あるいは鉱物などを後進国がその供出を拒否したらどうなるのか。そうすると先進国は一切が動かなくなるんです。

だから後進国の革命運動は先進国の革命運動にとってとても重要なものなんです。これが20世紀になって問題になってくるアジア、アフリカの共産主義運動なんです。彼らの共産主義運動は例えばカストロもそうですね。ボリビアに行ったチェ・ゲバラ（1928~67年）もそうです。山や農村に行ってゲリラ活動をする。山や農村は資本主義の砦なんです。そうすることによって資本主義の機能を止める。彼らの運動で資本主義を止めることができる。そういう発想が生まれてくる。だからアジアやアフリカで進んだ革命運動は、決してソビエトが言ってるようなものではなかったと言えます。ソビエトもその点、マルクスの初期段階の資本主義発展といった革命論に影響されていたと言えます。だから第三インターではアジアの共産主義者は徹底的に批判されるのです。

アジアの共産主義運動は、資本主義が発展するまで無理だから、まず資本主義の発展を応援しろと言われる。それを断固拒否した毛沢東たちは、後期マルクスの立場からいえば正しかったとも言えます。

ですから今、中南米やアジアの共産主義者たちは元気づいています。つまり後進諸国が森を守ったり、資源を大切にすることで逆に先進資本主義が衰退する。だから革命は東京やニューヨークにはない。むしろアジア・アフリカにあるんだと。こういう部分につながっていくんです。

――革命は周辺で起きる。

的場――そうです。周辺革命論なのですね。私たちがカストロやゲバラの運動を見ていた頃はとてもそういう状況になかったのですね。だってマルクスの本を読んでもこんな後進地域のことは何も書いてない。西洋ですら革命が起きないのに、こんなところでやっても無駄だと思ったものです。よく考えれば、彼らはマルクスの未来が予感できていたのかもしれません。マルクスがまだ発表していない、原稿の未来を予測していたと言えないことはない。

――その話をグローバルサウスに繋げると、どのような希望が見えてくるでしょうか。

的場――我々の世界は一蓮托生なんですよ。資本主義世界の先進国だとか後進国だとか言っているけれど相互に結びついている。まして地球環境という点では一緒になっている。そうするとその地域の了解なくして資源を無駄遣いすることなんてできない。資本主義には限界があるわけです。農業を無視して工業だけで生きてはいけない。農業をちゃんと見なくてはいけない。これが私たちに突きつけられている問題です。地球環境を守るということはまさにそういうことですよね。

――現に資本主義はもう宇宙から人間の身体や脳の中まで手が伸びているわけです。すべてのものに手が伸びている。行き着くところまで来てしまった。いわばネズミ講が極限に到達して破綻するのと似ています。それを止める理屈。成長を止める、利潤を止める、単なる破壊ではなく、止める理屈が求められます。

的場――社会システム、国民国家というシステムも変わらなくてはいけません。例えば年金システム一つとってみてもそうです。年金システムと言うのは、我々のお金を貸付る先がなければならないわけです。もちろん現役の人たちが払っていくと言うシステムもあります。私たちの年金150兆円は様々な国に投資されていて、そこの労働者たちをいわば搾取しているわけです。これができなくなるわけです。世界最大の資本家と言われています。年金基金は世界中にある。年金基金を合わせればすごい額になります。私も今そのうちの1人ですが、働かないで年金で食ってるわけですね。

――私たち2人とも年金生活者になりました。国内の議論では、現在の高齢者には年金がきちんと支払われるが、若者たちが高齢者になった時にどうなっているかはわからない。年金がなくなるのではないか。不公平だということで、世代間対立の一つの原因になっています。それは国内事情だけの話です。実際には戦後日本社会が積み立ててきた年金基金の投資運用によって、国際社会で搾取を続けている。一般の市民には年金基金の運用実態は見えませんから、自分が受け取る年金額のことしか考えません。まともな議論をしようとしない。

的場――年金システムも変わらなければなりません。このような意味での社会保障制度は止めることになるでしょう。止めるしかないです。その代わりに働くのです。労働するしかない。もちろんこき使われるためではない。自分の人生を長生きさせるため働くことになる。こういう社会に変わって、国民国家が戦争中に始めた総力戦システムの1つの延長が年金なのですが、国家が国民の老後の面倒を見るとか、社会福祉で医療費を見るとか、こういう制度が少しずつ変わってきて、別の制度になるだろうと思われます。

――年金制度がなくなると想像すると、私たちは不安に襲われます。

的場――先進国の通貨による不利な為替もなくなるでしょうね。ＢＲＩＣＳはそういう通貨を考えています。そうなると所得も均衡化していく。しかしこれは嫌でしょう。世界のＧＤＰを平均すると良いところ1万ドルぐらいですが、先進国の我々は3万4～5千ドルをもらっています。不平等なのです。これを平均すると1万ドルだから、それで生活しろと言われても、できない。みんな現状にしがみつきます。

――それがかりに3万ドルから1万ドルに減る。なおかつ日本の人口は1億2千万から8千万に減る。両方重なってダブルパンチということは、国の経済規模でいうと今の半分以下に縮小する。そう考えると、失うもののある私たちは「保守的」にならざるをえない。

アソシエーションという生き方

的場――国民国家単位でものごとを考えてきたのですが、少し変えてみた方がいい。国民国家たる最大の問題は年金制度や保険制度やさまざまな意味での社会福祉制度なんですよ。これが戦後、成立した。だから止めたくても止められない。これが変わるのはとても大変なことです。誰も言えないところです。だから現状維持に徹する。こうした中央集権的な国民国家の時代もそろそろ終わるのかなという気もします。でも人間である我々はどこかの集団に属して生きていくしかない。

――革命家も保守的になる心理メカニズムですね。手近な生活共同体にしがみつくしかないからです。その先を見通して発展性のある生活共同体を構築する必要があります。

的場――マルクスはそれをアソシエーションだと考えたのです。小さなアソシエーションをつくる。それは企業集団ではないです。アソシエーションというのは工場なんだけれどそこで生活する「生活圏」でもあります。そして政治をする単位です。だから働く工場であって政治もやっている。こういう世界がたくさんできて、やがて国家は死滅するだろうと考えたのですね。今のところはなっていませんが将来はわかりません。今回のガザとイスラエル、ウクライナとロシアを見て不幸に感じるのは、国家という現象に振り回されている。パレスチナの要求しているものも民族と国家。領土土地。イスラエルも同じ。同じ穴の狢《むじな》になっている。ＮＡＴＯ諸国も日本も同じです。

――領土、国民、主権の３本柱で聳《そび》えたつ近代国民国家の論理はとてもわかりやすい。ナショナリズムが生まれると人々の意識をほとんど完璧に拘束します。例えば領土問題では、ナショナリズムの強靭さと滑稽さが良く見えます。日本海に、誰も行ったことがない、見たこともない、資源がある訳でもない竹島という島があります。韓国が実効支配している韓国領です。ところが日本側は「わが国固有の領土だ」などと妄想を爆発させてきました。国際法上「わが国固有の領土だ」などという法理は存在しません。本当にわが国固有の領土とは例えば奈良や京都でしょう。しかし奈良や京都について「わが国固有の領土だ」などと珍奇なことを誰も言いません。ばかげているからです。いつの間にか日本中、「竹島はわが国固有の領土だ」と結論だけ唱えます。法理論も根拠も関係ありません。ナショナリズムと嫌韓感情だけです。

怠ける権利と働く権利

的場――労働運動に関しては早くバカンス休暇をやってほしい。ポール・ラファルグ（１８４２～１９１１年）というマルクスの義理の息子が『怠ける権利』という本を書いています。邦訳『怠ける権利』（人文書院、１９７２年）があります。とても面白い本です。たいてい労働して賃金を高くしよう、労働は美徳だと考えているけれど、労働は辛いばかりだから少しはのんびりすることを考えたらどうか、というのが怠ける権利です。労働しない権利がある。やがてそれが人民戦線に受け継がれ、１９３６年に施行される。もう百年近い歴史になる。給料が上がることとは別にバカンスという概念があるんです。ヨーロッパに住んでいて共通して良いなと思うのがこれですね。いつ取っても良いのですが、１年間に

3週間休みを取る。土日もあるので1カ月ぐらいになる。これを取らなくてはいけない。法的に義務づけされている。取らせなければ罰則がある。人間は働くことによって得られる賃金だけで満足するという発想から、もっとのんびりして人間らしく生きるということを学ぶことができるのですね。なぜ戦後ずっとお金に囚われてきたのか、これは資本主義の論理ではありますす。お金、賃金。そうではなくてもっとのんびりとした時間をとるための労働運動をどうしてやってこなかったのか。日本の労働運動の七不思議の一つです。

――世界人権宣言にも余暇の権利というのがあるんです。世界人権宣言第24条「すべて人は、労働時間の合理的な制限及び定期的な有給休暇を含む休息及び余暇をもつ権利を有する」です。私は法学や憲法の授業で「過労死しない権利」を話してきました。「有給休暇を含む休息及び余暇をもつ権利」は日本には、あるようで、ない。有給休暇は確かにありますが、みんな消化しようとしない。「休息」も「余暇」もあるけれど、自発的に率先して懸命に働く。働いて働いて死んでしまう不思議な日本社会があります。景気の良い時は良い時なりに、悪い時にも悪い時なりに、長時間過密労働の結果として多くの労働者が死んできました。世界人権宣言の余暇の権利が活きていません。戦後の労働運動というのは世界的に見ても8時間労働の獲得でした。

的場――19世紀の共産主義者の運動の最初は、労働権と標準労働時間の獲得だったのですね。だからフランスなんかもラファルグがこの本を書くまでは憲法に労働権を入れるとか、いかに労働時間を下げるかが問題でした。当然資本家は労働者を全員就職させる気などないから無理。労働しない権利って入れたら、どうなるか。もちろん有給でのことです。

もっとも、ここにはいくつかの問題点が抜け落ちています。ヨーロッパの有給労働はアジア・アフリカの多くの植民地の犠牲の上に成り立っていたことも確かです。そのことを考える限りはやはり理想は実現されていない。あれだけ休んでいますが、これも今の経済状態でできていることであって、今後どうなるかわからない。人類の未来を考える時にみながあくせくしないでのんびりできる社会は良いのかなって気がしないではないですね。その分、社会資本を蓄積しておかねばなりませんが。

——怠ける権利と働く権利のバランスが重要ではないでしょうか。世界人権宣言第23条1項は「勤労する権利」に言及していますが、同時に23条3項は「勤労する者は、すべて、自己及び家族に対して人間の尊厳にふさわしい生活を保障する公正かつ有利な報酬を受け、かつ、必要な場合には、他の社会的保護手段によって補充を受けることができる」としています。働くことと人間の尊厳がセットになっています。

現実には働く権利を奪われている。怠ける権利も奪われている。労働が権利の範疇から義務の範疇に変容しています。苦行になっている。

的場——もう一つは16歳以上全員に労働組合に入る権利を与える。高校生も大学生も労働組合に入るんです。労働とは関係なく、失業しようとしていまいと常に組合費を納め、組合員になる。その代わり労働者としての権利が保障される。有給休暇の権利も失業中の権利もです。困難なことですけど、発想の転換は必要です。企業の枠の中だけの労働組合の権利ですから。人間の基本的権利としての労働組合にする。フランスも労働組合に入っている人は少ないけれど、なぜあんなにストを打って闘えるのかというと、そういうことなんです。高校生と大学生が頑張ります。彼らも組合員なんです。若い人たちが、働く人がなかなか闘えないけれどその先頭に立って闘うんですね。

——日本では闘うことさえできないようにさせられています。私たちも含めて、上の世代が社会的にみんなが闘える条件を整備してこなかった。むしろ社会の分断に手をこまねいてきた結果です。少しは希望もある国を作らないと、近代の廃墟だけが残されることになります。

おわりに

２０２０年代に入り、世界は混迷を深めています。コロナウイルスによって世界の国民は、まるで戒厳令をしかれたかのように、あらゆる自由を奪われ、従順になり、国際交流もしなくなり、自国に引きこもり、自国民だけを守ろうと奔走しました。飛び交う情報は錯綜し、なにが正しいかをきちんと考えることもなくなり、都合のよい情報だけを探すようになりました。

そうしてコロナ騒動が開ける頃、世界はコロナ禍の中で衰退していた経済を立て直そうと躍起となりましたが、なかなか元には戻りませんでした。

コロナは、２００８年のリーマンショックがもたらした、先進国と非先進国との力のバランスの変化をさらに促進することになりました。コロナのもとで、先進国はものを製造しないで、マネー取引とサービスだけに特化していたことを改めて思い知らされたのです。「王様は裸」だったのです。

今や世界のレジームは大きく変わりました。19世紀に拡がった西欧資本主義による西欧的価値観が、大きく崩れつつあることに、西欧もそろそろ気づきはじめました。元のレジームに戻すには、製造業が非西欧に移ってしまった現在、ある意味簡単なことではないと悟り始めました。それが西欧の進める非西欧への政治的、経済的、軍事的締め付けにつながり、その最初の先兵となったのが、ウクライナでした。ウクライナは、本来西欧ではないのですが、西欧の代わりに西欧の力がどれほどのものか、実験の場になったのです。

資本主義社会は成長と利潤がなければ生きられないシステムですが、その世界が今生み出したものは、新たなる成長のための破壊、すなわち戦争だったのです。その戦争は、２０２３年には中東のパレスチナまで拡がりました。今後さらに火がつきそうな西欧と非西欧の接触点を探すと、我が国の近くの台湾と朝鮮半島を含め、いまや切りがないほどです。

西欧化を近代化と考えてきた日本人のわれわれが、西欧対非西欧という枠組みで世界の変化を捉えるのは、いささか勇気がいるのですが、数百年にわたって西欧から搾取の限りを受けた非西欧諸国の場合、その怒りは爆発寸前かもしれません。もちろん西欧も、これまでの優位を失った手負いの虎で、何をするかわかりません。これが２０２４年、一触即発の世界の姿なのです。

昨年新横浜のスペースオルタで前田さんに依頼されて3回ほど、レジーム変化について語りました。前田さんとは長い付き合いですので、思うところを隠さず語ることができました。過激な発言があるかもしれませんが、平和をむさぼり続けたわれわれ日本人は、今、蒙を啓くチャンスの時かもしれないと思い、あえて厳しい現実を語りました。とにかく世界戦争に進まないように、一丸となって努力したいものです。

２０２4年2月11日

的場昭弘

◉的場昭弘 (Matoba Akihiro)
神奈川大学経済学部教授（2023年定年退職）。マルクス学、社会思想史専攻。1952年、宮崎県生まれ。慶應義塾大学大学院経済学研究科博士課程修了（経済学博士）。マルクス学、社会思想史専攻。同大で副学長、国際センター所長、図書館長などを歴任。 著書に『超訳「資本論」』全3巻（祥伝社新書）、『未来のプルードン』（亜紀書房）、『カール・マルクス入門』（作品社）、『「19世紀」でわかる世界史講義』『最強の思考法「抽象化する力」の講義』（以上、日本実業出版社）、『20歳の自分に教えたい資本論』『資本主義全史』（以上、SB新書）、『一週間de資本論』（NHK出版）、『マルクスだったらこう考える』『ネオ共産主義論』（以上、光文社新書）、『マルクスを再読する』（角川ソフィア文庫）、『いまこそ「社会主義」』（池上彰氏との共著・朝日新書）、『復権するマルクス』（佐藤優氏との共著・角川新書）、訳書にカール・マルクス『新訳 共産党宣言』『新訳初期マルクス』『新訳哲学の貧困』（以上、作品社）、ジャック・アタリ『世界精神マルクス』（藤原書店）など多数。

◉前田朗 (Maeda Akira)
東京造形大学名誉教授。1955年、札幌生まれ。朝鮮大学校法律学科講師、日本民主法律家協会理事、NGO国際人権活動日本委員会運営委員、救援連絡センター運営委員。
著書に『増補新版ヘイト・クライム』、『ヘイト・スピーチ法研究序説』、『ヘイト・スピーチ法研究原論』、『ヘイト・スピーチ法研究要綱』、『ヘイト・スピーチと地方自治体』、『黙秘権と取調拒否権』、『憲法9条再入門』、共編著に『なぜ、いまヘイト・スピーチなのか』、『ヘイト・クライムと植民地主義』、『思想はいまなにを語るべきか』、『新にっぽん診断』（いずれも三一書房）、『軍隊のない国家』（日本評論社）、『メディアと市民』、『旅する平和学』（ともに彩流社）など多数。

希望と絶望の世界史 転換期の思想を問う

2024年4月17日　　第1版 第1刷発行
著　者―― 的場昭弘　前田朗 © 2024年
発行者―― 小番　伊佐夫
装丁組版― Salt Peanuts
印刷製本― 中央精版印刷
発行所―― 株式会社 三一書房
〒101-0051
東京都千代田区神田神保町３－１－６
☎ 03-6268-9714
振替 00190-3-708251
Mail: info@31shobo.com
URL: https://31shobo.com/

ISBN978-4-380-24003-4　C0036　　Printed in Japan